# LES GENS D'AFFAIRES

(ROBERT MACAIRE)

DAUMIER

# LES GENS D'AFFAIRES

## (ROBERT MACAIRE)

PRÉFACE, CATALOGUE ET NOTICES
DE
JEAN ADHÉMAR
CONSERVATEUR EN CHEF
DU CABINET DES ESTAMPES
DE LA BIBLIOTHÈQUE NATIONALE

ÉDITIONS VILO - PARIS

BIEN souvent les créateurs voient mal la portée de leur création, de leur œuvre, de leur art; c'est le cas pour Daumier à qui on prête ces mots : « Je ne sais pas pourquoi on parle toujours de mon *Robert Macaire,* je n'ai jamais rien fait de plus mauvais. » Cette boutade s'explique par le caractère de la série des cent pièces, qui a été commandée à Daumier, et dont les contemporains lui niaient une partie de la paternité, celle-ci étant revendiquée par Philipon, directeur du *Charivari,* auteur des longues, trop longues légendes, qui avait eu l'idée de la suite, et entendait s'en servir comme d'un instrument de combat contre une forme de réclame, contre un concurrent redoutable.

Aujourd'hui l'anecdote est à peu près oubliée, le prétexte disparaît presque — il faudra le ressusciter ici, — mais il reste la largeur du dessin, le style de Daumier, et l'intérêt du sujet, satire très violente de l'homme d'affaires et de la Bourse.

La suite d'estampes a paru d'abord dans *le Charivari* en 1836-1838, c'est-à-dire au moment où Tocqueville écrivait : « La France a pris les allures d'une compagnie industrielle où toutes les opérations se font en vue du bénéfice que les actionnaires peuvent en retirer », époque où les caricaturistes montrent une famille avec le père empêchant les siens de lire le journal tant qu'il n'y a pas vu le cours des actions de son *portefeuille* (« Un moment; les cochenilles et les indigos d'abord »).

Léon Gozlan, dans son *Aristide Froissart* paru en 1843 et évoquant les années 1835, montre bien l'atmosphère de ce temps. « On se souvient, dit-il, de l'orage d'affaires qui creva sur Paris quelques années après 1830. On ne se parlait que par *actions.* Ce fut la peste noire des petits rentiers qui voyaient 20 et 30 pour cent à gagner, eux dont l'argent rapportait à peine le 5. Froissart fut mordu comme tant d'autres... Il se faufila dans la bande des condottieri qui exploitait Paris à la clarté du soleil... Il entra dans ces sortes d'affaires par la porte de l'amusement, il y vit les séductions du pharaon et de la roulette moins le danger... On passait alors les journées à dresser des actes de société, des tableaux de bénéfices, à peindre des modèles d'actions, à faire des souches, et la nuit à boire. Ses salons furent pleins de gens issus d'une autre race, gens parlant vite, debout, se levant à six heures du matin, courant en cabriolet les quatre coins de Paris, avec les poches bourrées de projets. Ils assiégeaient Froissart, qui les écoutait souvent du haut de son lit... Il s'agissait d'ouvrir des mines inconnues pour en tirer des métaux, de joindre par des canaux deux pays éloignés l'un de l'autre, d'alimenter toute une population à la fois. Il y eut un beau frémissement en France, immense corps qu'on ne remue pas sans l'électricité d'une idée. »

Balzac, à la même époque, parlait avec effroi et admiration des « hardis cormorans, éclos de l'écume qui couronne les flots incessamment renouvelés de la génération présente..., ces spirituels condottieri de l'industrie moderne ».

Des journaux de bourse paraissaient déjà : *l'Actionnaire,* revue industrielle, le *Journal de l'Industriel et du Capitaliste.*

Daumier eut-il de lui-même l'idée de représenter les hommes d'affaires ? Il n'était pas un homme d'affaires ni un homme d'argent. D'une famille de commerçants provençaux, il est le fils d'un marchand de cadres demi-artiste, demi-écrivain, qui a réussi assez bien pour passer quelques années dans les cénacles parisiens, mais qui ne peut s'y maintenir, puisque, lorsqu'on arrête son fils en 1832, celui-ci vit « avec sa mère dont il est le seul soutien ». Malgré un travail incessant, Daumier ne sera jamais riche ; il vit, comme ses amis de l'île Saint-Louis et avec eux, très simplement. A un seul moment, une affaire, à vrai dire sensationnelle, lui est proposée. C'est en 1848 que son ami, le peintre Jeanron, alors directeur des Beaux-Arts, lui propose d'acheter un des biens saisis à la maison d'Orléans déchue, le parc Monceau. Daumier, ignorant l'emprunt et le crédit, refuse, et ce sont les frères Pereire qui achèteront le terrain, et revendront le parc après avoir vendu à la lisière une ceinture d'hôtels particuliers qui contribueront à leur fortune. Sous le Second Empire, Daumier vit difficilement, jusqu'à l'époque où, nous dit Jean Cherpin qui, possédant son carnet de comptes, a refait son budget, il dispose d'une certaine aisance. L'acquisition de sa maison à Valmondois a suscité une abondante littérature, les auteurs n'ayant pas consulté les notes de Robaut dans lesquelles on apprend que le 9 février 1874 Corot, « au moment de partir à une noce », a remis 6 000 francs à Daumier pour l'acquisition, et a complété les 10 000 francs nécessaires quelques jours après.

Philipon, lui, au contraire de Daumier, est un extraordinaire brasseur d'affaires, d'affaires de presse. Il n'a pas eu la carrière politique d'un Girardin, et c'est pourquoi il a été oublié, ainsi que les nombreux journaux qu'il a créés successivement. Pour lui, le journal doit, avant tout, être illustré d'images ou de caricatures, car c'est ainsi qu'il *portera* sur le public.

Philipon s'y connaissait; Lyonnais, fils de marchand de papier peint, il avait dessiné pour vivre, après avoir passé un an à l'Académie de Gros, et il avait créé à vingt ans le genre des histoires en images qui feront la fortune d'Épinal : *Touchatout le mauvais sujet* dessiné par lui sera célèbre, et sa fécondité étonnait tout le monde, car il était capable de dessiner en un jour trois de ces images morales composées chacune de seize sujets, gagnant ainsi 30 francs. Il vit en 1829 arriver à Paris son beau-frère, Aubert, notaire à Chalon, ruiné par une spéculation de bourse, et lui conseilla une affaire : Aubert s'établirait marchand d'estampes rue Véro-Dodat, et lui, Philipon, le conseillerait. L'affaire se réalisa, et Aubert, devenu brusquement célèbre, éditait en 1831 « pour plus de cinquante mille francs de lithographies »; en 1836, vingt presses travaillaient à la fois pour lui.

Philipon, lié avec les meilleurs artistes, et notamment avec Daumier, a fondé d'abord *la Caricature,* premier journal d'opposition illustré. C'est lui, non Aubert ni les dessinateurs, qui est poursuivi par le Ministère de la Justice pour le journal, lequel est l'objet en quatre ans de vingt-huit saisies et de dix procès. Philipon, condamné dès le 14 novembre 1831 à six mois de prison et 2 000 francs d'amende, sera arrêté le 13 janvier 1832 et libéré seulement treize mois après, le 4 février 1833. Il passe presque tout ce temps dans une maison de santé, se déclarant « affaibli », et l'Autorité le croit, car il semble alors qu'une attaque contre le régime prouve, non un sens critique aigu, mais un esprit faible (c'est le cas pour Daumier qui, pour une lithographie particulièrement percutante, est envoyé quelques semaines à Sainte-Pélagie, mais plus longtemps dans une maison de santé); trois jours après sa libération, il vient sous les fenêtres des Tuileries, ainsi qu'il nous l'apprend, « remercier le Roi de l'avoir nourri », et lui dire qu'il ne tenait pas à être logé par lui. Il continue son opposition par la caricature, et dessine en 1834 les célèbres *Poires* qui transforment le fruit en portrait de Louis-Philippe. Après les lois sur la restriction de la presse, il fonde *le Charivari,* « publiant chaque jour un nouveau dessin ».

Celui que ses amis appelaient *Ponpon* depuis 1836 au moins, a reçu le 27 mai 1841 un magnifique hommage de Balzac, qui, lui fixant un rendez-vous, l'appelle dans sa lettre : « *Mon cher Ponpon,* duc de la Lithographie, marquis du Dessin, comte de Bois gravé, baron de Charge, et chevalier de Caricature et autres lieux ». Il a été protégé même par Chateaubriand, qui, en 1832, lorsqu'il s'est évadé de sa prison, l'a aidé à la réintégrer sans ennui (*M.O.T.*, éd. Moreau, t. V, p. 363).

Philipon commente ainsi la raison de la publication des cent *Robert Macaire :* « Le Robert Macaire a disparu du théâtre. La censure nous interdit de stigmatiser les Robert Macaire politiques, force nous est de nous rejeter sur les Robert Macaire industriels. Nous nous proposons de publier une galerie dans laquelle apparaîtront les nombreuses variations de cette espèce. Notre planche *(« Bertrand, j'adore l'industrie »)* en est le début. »

En effet, en 1834, Daumier avait représenté le Roi et Thiers en Robert Macaire, mais il avait vite abandonné le sujet, et on voit maintenant pourquoi. Il reprend donc le thème sur la demande de Philipon, mais en stigmatisant « les industriels », c'est-à-dire en pensant très souvent à Girardin. Celui-ci continuait à être en lutte, dans les autres pages du journal, aux sarcasmes et aux plaisanteries de Philipon (*une craque de plus,* 20 août 1836; *un voleur chez Girardin,* 11 décembre). Girardin répond le 10 septembre et le 27 décembre; il fait allusion au journal, et Philipon rétorque : « Nous ne sommes pas de ces gens que l'on peut arrêter. »

Les *Robert Macaire* paraissent donc, entre le 20 août 1836 et le 25 novembre 1838, à raison de deux ou trois par semaine au plus, les autres numéros du journal étant consacrés à des thèmes divers. Daumier et Philipon pensent interrompre la suite en novembre 1836 et, le 11 novembre, *le Charivari* signale que le *Robert Macaire restaurateur* est « une des dernières planches », mais la série reprend en fin novembre et dure jusqu'en octobre 1838.

L'imprimeur Junca puis Lemercier ont déposé assez régulièrement tous les dix à quinze jours une ou plus généralement trois images des *Caricaturana,* portant des numéros à la suite, qui étaient ainsi soumises à la censure. Celle-ci les laissait passer en général, et la lithographie paraissait huit jours après le dépôt. Dans un cas, trois pièces, déposées les 30 et 31 janvier 1837 ne paraissent qu'assez tard, le 19 février; c'est que la censure a demandé que soient effacées les inscriptions écrites sur le mur du fond du *Caricaturana* n° 76; une autre fois, la légende du n° 19 des *Caricaturana* est modifée, et une allusion au journal *la Presse* est effacée

***

La suite est dirigée contre les sociétés par actions et leurs abus, contre une certaine presse, contre l'abus de la réclame, ce qu'on appelait le *puffisme,* et constitue plus particulièrement une attaque personnelle contre le plus grand brasseur d'affaires d'alors, Émile de Girardin, ce fameux Girardin dont on cite toujours de lui la formule journalistique : « une idée par jour ».

En 1836, il a trente-quatre ans. Il est conscient, un des tout premiers, de la puissance de la presse, et de la presse qui entre partout grâce à son bon marché, pour le lancement des idées et des affaires. Après avoir fondé *le Voleur* à vingt-six ans en 1828, *la Mode* à vingt-sept ans en 1829, il a fondé à vingt-neuf ans en 1831 le *Journal des Connaissances utiles* à 4 francs par an (tirage à 130 000, 132 000 donnés à la fin de 1832), en 1833, le

*Journal des Instituteurs primaires* (abonnement : 30 sous par an), en 1834 l'*Almanach de France* (tiré à 1 300 000 exemplaires) et l'*Atlas portatif de France* par département (vendu : un sou chacune des 87 cartes). En mars 1834, avec Boutmy et Cleemann qui lui servait de prête-main, il fonda le *Musée des Familles* (40 000 abonnés en trois mois), revue destinée à « *couler* » le *Magasin Pittoresque*. Il imagina en novembre 1836 un papier hygiénique, le « papier de sûreté ».

Le génie de Girardin a consisté à persuader le public que chacune de ses entreprises était *hautement philanthropique,* car le public d'alors se disait toujours « disposé à aider les entreprises conçues dans un but moral, et conduites par des hommes honorables ». Aussi avait-il placé les siennes sous le couvert d'une société au nom judicieusement choisi, la *Société pour l'émancipation intellectuelle,* avec pour programme : « Santé, bien-être, devoir ».

Certaines d'entre elles devaient échouer, le *Musée des Familles* notamment, mais la couverture assurait l'honorabilité de la faillite, bien que certains éléments du public aient raillé cette soi-disant philanthropie. Dans sa *Physiologie du Floueur* (1842, p. 31), Philipon parle avec gravité d'une pseudo-société pour la fabrication du sucre d'orge en caoutchouc : « Le sucre fait mal aux dents des enfants, et il est essentiellement cher. Par notre invention, nous mettons toutes les classes de la société en état de goûter les douceurs réservées aux classes riches, et de les goûter perpétuellement, car nos bâtons de caoutchouc ne fondent pas, ils resteront dans une famille, et se transmettront à l'infini. »

Mais le triomphe de Girardin fut la création de *la Presse,* journal conservateur à très bon marché, coûtant 40 francs par an, soit moitié prix des autres, qui en trois mois eut 10 000 abonnés et en peu d'années 38 000. Le premier numéro de *la Presse* parut le 1er juillet 1836, tous les frais du journal étant couverts par les pages d'annonces.

Les journaux de Girardin constituèrent d'admirables supports publicitaires, d'abord pour ses entreprises de librairie, ensuite pour de plus vastes affaires commerciales et financières.

Ils lui permirent de lancer le *Physionotype,* variante du *Physionotrace,* qui venait à son temps au moment où chacun désirait avoir son portrait et où la photographie n'existait pas encore (*le Charivari* appelle ceci le *Physionotrappe,* procès contre Girardin à ce sujet, gagné par lui). En 1835, il lança *le Panthéon littéraire,* suite de volumes compacts (classiques de littérature et d'histoire, préfigure des éditions de la Pléiade), dont il confia la direction à Buchon.

Mais à partir de 1836 les journaux de Girardin lui servirent à soutenir de nombreuses affaires bien plus importantes, ses Sociétés par actions.

C'était à l'époque « une épidémie... Tous les jours vingt sociétés nouvelles se créaient. Jamais le capital n'était moindre de quelques millions ou de quelques belles centaines de mille francs, et jamais le fondateur ne possédait trois sous » (*Floueur,* p. 29). Comme le dit encore *le Constitutionnel :* « La fièvre du jeu a trouvé un aliment : les actions des entreprises industrielles. Il n'y a pas de jour qui ne voie éclore une nouvelle affaire; pas de jour qu'il n'y ait à la Bourse une nouvelle émission d'actions. »

Donnard l'explique bien, cette année 1836 constitue un tournant; la négociation des valeurs commerciales est remplacée par celle des valeurs mobilières et surtout industrielles. Girardin s'en fit une spécialité. Il lança l'affaire de l'Institut agricole de Goetho dont nous parlerons dans les Notices

Il lança aussi l'affaire des mines de Saint-Bérain; celles-ci, situées à trente kilomètres seulement du Creusot (créé, lui aussi, en 1836) se révélèrent malheureusement improductives (Girardin, accusé de tromperie sur l'étendue et la qualité des mines ainsi que de placement frauduleux des actions, gagne son procès, mais en laissant condamner ses collaborateurs), et Girardin, qui fit plusieurs fois faillite, est considéré comme le type le plus accompli du *floueur ;* son *papier* est alors décrié — ce qui ne l'empêche pas de faire une carrière politique et journalistique encore pendant quarante-cinq ans, — mais *le Charivari* écrit (11 décembre 1836) qu'un voleur s'étant introduit chez Girardin ne put voler que ses actions, « papiers qui ne sont même pas bons pour allumer les chalands ». Quant à la belle *impure* Esther Guimont, à qui Girardin, après une visite, laissa 200 francs sur la cheminée, elle les lui renvoya, disant : « Je ne suis pas pour la *presse* à bon marché. »

***

Pour quelle raison Philipon, presque seul, s'attaqua-t-il à Girardin, et à son *puffisme* (en 1838, Huart et ses amis du *Charivari* font jouer une revue en trois tableaux, *le Puff*) ? Philipon, lui aussi, faisait une large place à la réclame dans son *Charivari.* On y voyait vantés le Rachaout des Arabes, le chocolat Menier, la poudre péruvienne, la pâte du pharmacien Baudry, la médecine électro-chimique du docteur Bachoué, et les remèdes contre les maladies secrètes (« On se guérit soit en travaillant, soit en voyageant, cabinet Révy-Napoléon »). Mais ces réclames n'étaient que des annonces de quartier, pour les commerçants du passage Véro-Dodat ou de la rue de Richelieu, et on sentait chez Philipon une vive défiance envers la réclame plus agissante, la réclame industrielle puissamment organisée, et à partir d'avril 1836 (le premier *Robert Macaire* paraît le 20 août 1836) le « charlatanisme » est stigmatisé; dès ce moment le roi de la réclame et de la presse, Girardin, est mis en cause.

Girardin, cependant, avait compris l'intérêt du *Charivari,* journal amusant et journal d'opposition, très lu dans les cercles bourgeois qu'il veut atteindre, aussi la dernière page du *Charivari* fut-elle consacrée le 27 juin 1836 au lancement de *la Presse.*

Mais Philipon craignait Girardin, car il ne pouvait que très mal lutter contre lui, son journal ne pouvant réduire ses frais généraux, ni augmenter son tirage (3 000 exemplaires), aussi voit-on paraître dans *le Charivari,* dès le 8 mai 1836, des plaisanteries sur « la Société contre les Sociétés », le 9 d'autres sur *le Papirovore,* le 11 d'autres sur « *la frime des Primes* », et ne doit-on pas s'étonner de voir commencer le 20 août la suite sur *Robert Macaire.*

***

Philipon va-t-il faire représenter par Daumier Girardin, dont on connaît la tête ronde et le lorgnon par de nombreux portraits? Il ne va pas demander à Daumier une caricature de son ennemi, mais, allant plus loin et donnant une idée de l'homme d'affaires de son temps, il va tout naturellement penser à Robert Macaire que le génial acteur Frédérick Lemaître va composer en jouant à sa façon un mélodrame médiocre, *l'Auberge des Adrets,* pièce de Chevrillon, Lacoste et Chaponnier, dans lequel un personnage de voleur, Robert Macaire, tenait le rôle principal. La première, le 2 juillet 1823, n'a eu aucun succès, et même les acteurs, sifflés, ont reçu des pommes cuites. Mais, dès le lendemain, Fréderick Lemaître, modifiant la pièce par son ton, son regard, ses gestes, a emporté l'adhésion du public. Il portait déjà un bandeau sur l'œil et un chapeau cabossé, mais pas encore le costume débraillé qu'on lui verra plus tard. La pièce *porta,* puisqu'elle fut interdite le 2 avril 1824 par la censure.

M^me^ Cœuré, qui a étudié Robert Macaire parmi d'autres types littéraires et artistiques de son temps, et à laquelle nous devons une partie de ce qui suit, a bien expliqué que Robert Macaire est né en deux fois, et grâce à Frédérick Lemaître (l'*Auberge des Adrets, Robert Macaire,* éd. Boissard à Grenoble, 1966).

Émile de Girardin ne semble pas avoir répondu aux attaques pourtant précises et saisies par tout le monde de Philipon et de Daumier; son journal *la Presse* ne semble pas y faire allusion. On peut penser que Girardin ne se souciait pas de ce qui aurait été la suite d'une réponse: un duel. Il en avait eu, le 22 juillet 1836, un célèbre, pour des attaques de presse, contre Armand Carrel, et il avait eu le malheur de tuer son adversaire. L'opinion entière, la droite comme la gauche, avait plaint « l'infortuné jeune homme », et Chateaubriand, quoique « royaliste et chrétien », se faisait gloire d'avoir porté « un coin du voile qui recouvre de nobles cendres, mais qui ne les cachera pas ». Aussi Girardin ne souhaitait pas se mettre sur les bras une nouvelle affaire Carrel, et il s'est tu, croyant que les attaques de Philipon n'auraient pas de portée: il ne comptait pas avec le talent de Daumier.

En janvier 1832, dans une période plus libérale, celle du début du règne de Louis-Philippe, Frédérick Lemaître reprit la pièce, en la modifiant avec l'aide d'amis, et en l'intitulant *Robert Macaire,* transformé de voleur en *faiseur.* Il allait la jouer à Paris avec un immense succès jusqu'à la fin de 1834. C'est à ce moment, ainsi que Jules Lecomte l'a raconté en 1865, que le grand acteur compléta et élargit le personnage après avoir vu un *mendiant distingué,* débraillé et en loques, manger avec des gestes recherchés une galette sur le boulevard. La pièce se jouait à la Porte-Saint-Martin, théâtre dirigé par Harel : celui-ci voulut revendiquer la « propriété morale » des costumes de Macaire et de Bertrand; Frédérick Lemaître protesta, et Harel l'assigna, comme on disait alors, « pour usurpation de loques ». A la Porte-Saint-Martin, la pièce ne réussit pas bien; son essor date de juin 1834, lorsqu'elle fut jouée dans le petit théâtre des Folies-Dramatiques, sur le boulevard du Temple. Son succès vint du jeu de Frédérick Lemaître, « chaque jour plus amusant », ajoutant toujours des plaisanteries, des pitreries; on peut penser aussi que le public qui s'y pressait cherchait là une détente après les émeutes du printemps de 1834, et la terrible boucherie de la rue Transnonain immortalisée par Daumier (13 avril 1834). Ce public réunissait « pêle-mêle le monde élégant et le peuple en veste », dont l'affluence exceptionnelle est remarquée par tous les chroniqueurs, et cause l'indignation du *Journal des Débats.*

Peut-être fut-il *conseillé* à Frédérick Lemaître de ne plus jouer à Paris cette pièce qui *portait* tant sur le public. Ainsi s'expliquerait qu'elle ait quitté l'affiche de Paris vers novembre 1834. Mais Frédérick Lemaître ira la jouer en province et à l'étranger. Il commença sa tournée par Troyes, en décembre 1834, de là il voulait aller à Dijon; en janvier-mars 1835, il est à Londres à l'Athenæum où le public le déclare « extraordinary »; en août à Marseille; à Amiens, en octobre 1837, les journaux se demandent si on va laisser jouer la pièce : « M. le Maire dit oui, M. le Maire dit non »; en mars 1838, Frédérick joue trois semaines à Reims, puis à Nancy, en 1839 il est à Angers.

Il recommence une tournée avec cette pièce en 1845 : il est à Londres en mars, suscitant « un rire convulsif », et en avril à Bruxelles; il est encore à Londres en janvier 1847, et le succès auprès du public anglais peut étonner. A Paris, la pièce est reprise en 1848, dès le 25 mars, à la Porte-Saint-Martin, mais elle est interdite en 1852, et on ne la rejouera plus guère, sauf une représentation à Boulogne en 1859. (Nous avons trouvé beaucoup de ces renseignements dans les dossiers de la Bibliothèque de l'Arsenal que notre ami J.-P. Seguin nous a aidé à consulter.)

Frédérick Lemaître était donc « extraordinaire » dans ce rôle, et il s'est passé pour ce Frédérick Lemaître, créateur de Robert Macaire, ce qui s'est passé pour Henry Monnier créateur de Monsieur Prudhomme, un phénomène ainsi caractérisé par André Gide : « Le masque a mangé le visage. » Frédérick Lemaître s'est identifié à Robert Macaire; il a parlé comme lui, il s'est conduit comme lui, et il a même envoyé son jeune fils, costumé en Robert Macaire, présenter ses vœux de nouvel an à ses voisins; dès 1823 il faisait annoncer par *le Petit Courrier des spectacles* que, depuis qu'il jouait la pièce, il ne fumait plus que « du tabac de contribuable ». Mirecourt cite ses mots inspirés de Robert

Macaire : dans un restaurant où la carte est de 10 francs 50, il jette 10 francs sur le comptoir, en ajoutant : « *Les 50 centimes sont pour le garçon* », ou encore, lorsqu'il voit un directeur de théâtre recevant un commanditaire généreux, il lui dit : « *Pourquoi laissez-vous partir ce Monsieur, il a encore sa montre.* » Dans sa voiture on le voit sur le boulevard portant aux lèvres en guise de cigare une bouteille de vin.

Le jeu de Frédérick Lemaître n'a pas été analysé sérieusement par ses contemporains; éminemment comique, il se complétait par un costume fatigué, un pantalon déboutonné, et une manière particulière de porter sa cravate : tandis que les autres personnages en font alors un nœud assez bas qui dégage le cou, Robert Macaire, lui, porte autour du cou un très large foulard à l'intérieur duquel se cache son menton. En 1837 ce genre de cravates était absolument démodé, il avait été lancé par Brummel vers 1815, les Anglais l'appelaient « the starched neckcloth », et *l'Hermite de Londres* (1821) assurait que les habitants de cette ville ont le « visage enterré dans une immense cravate empesée » (cf. John C. Prevost, *le Dandysme en France,* 1957).

Quelques rares personnages portaient cette mode en France; Talleyrand y tenait, et c'est peut-être pour se faire la tête de l'homme le plus intelligent et le plus rusé de France que Robert Macaire la porte. Un autre personnage de Daumier va être affublé d'une cravate semblable, le docteur Véron qui la portait réellement afin, disait-on, de dissimuler ses furoncles. Claudin, en effet, assure qu'on disait cette haute cravate « destinée à cacher certaines cicatrices qu'il était difficile de prendre pour des grains de beauté », mais que Véron affectait de faire sa toilette en public, montrant son cou intact, « pour démentir la légende ».

En dehors de ce personnage, et de Bertrand, au profil caricatural, l'humanité autour de Robert Macaire ne se compose que de *gogos,* badauds à l'air étonné, au visage gras ou flou. Cependant, quelques jeunes hommes se font remarquer par leur grand nez, leur profil net, leur visage accusé; les femmes, peu nombreuses, sont ici, comme ailleurs chez Daumier, des silhouettes sans grâce, le visage à peine dessiné, à peine visible.

***

Nous nous sommes trouvés devant un problème difficile lorsqu'il s'est agi de classer les estampes de la suite de *Robert Macaire.* Fallait-il les classer dans l'ordre où elles avaient paru? Cet ordre est probablement — mais non sûrement — celui dans lequel Daumier les a dessinées (on ne peut en être certain, car les pierres ne sont pas numérotées); mais, le travail lui étant commandé au jour le jour, la série ne semble pas ainsi comporter un plan précis. On pouvait aussi présenter la suite comme elle a paru, numérotée, avec le titre *Caricaturana,* mais là encore aucun plan n'est visible.

Nous avons donc préféré une troisième formule, celle du classement logique. En tête nous mettons Robert Macaire qui félicite Daumier de sa série. Ensuite une douzaine de pièces montrent Robert Macaire tel que le représentait Frédérick Lemaître, en loques, en *faiseur* encore misérable. Ensuite vient le *faiseur* triomphant : actions et actionnaires, le spéculateur et l'aide de la presse; « Robert Macaire partout », le *macairisme* dans toutes les professions, du commis-voyageur à l'artiste ; Robert Macaire ayant le souci d'être considéré. Nous concluons la série, avons-nous raison, c'est probable puisque c'est la dernière pièce parue, par Robert Macaire et Bertrand quittant la France après fortune faite.

***

Le succès des *Robert Macaire* fut prodigieux, ainsi que le montrent les tirages : 3 000 exemplaires dans *le Charivari,* 2 500 vendus « en estampes », 6 000 avec le texte. Un écho de 1860 (*Journal amusant,* n° 227) annonce que « les *Robert Macaire* existent encore en album, mais les pierres commencent à s'épuiser ». Les pièces étaient vendues en séries avant même l'achèvement de la suite; en août 1837, on vendait les premières (la 50e parue le 28 mai) 50 planches pour 30 francs; en octobre 1838, 80 planches (la dernière parue le 13 mai) pour 40 francs; en décembre 1838, les 100 planches, présentées dans un « portefeuille élégant », se vendaient 45 francs en noir et 55 francs coloriées. (Cette suite de Daumier, exceptionnellement, se vend bien en épreuves coloriées anciennement, par exemple vente Malherbe, novembre 1924, 1 350 francs, etc.) En 1839, Aubert publiait « les 100 *Robert Macaire* réduits en lithographie, par MM. XXX (Menut Alophe), texte par Maurice Alhoy et Louis Huart », les lithographies sont médiocres, le texte de même.

D'autre part, on annonçait, en octobre 1836, la publication d'un journal, le *Robert Macaire ;* alors paraissait une « piquante brochure », *Recettes industrielles par le S. Robert Macaire,* et Philipon demandait à Gavarni une série sur *Madame Robert Macaire,* que l'artiste eut raison de refuser et de remplacer par ses *Fourberies de femmes en matière de sentiment.* Grandville représentait le loup des *Fables* de La Fontaine vêtu en Robert Macaire (1842). Dans la série des *Physiologies,* l'une est, bien entendu, consacrée à Robert Macaire, avec un texte de James Rousseau et des vignettes de Daumier (1842); Robert Macaire est présent dans la *Physiologie du Floueur* de Philipon; Cham reprendra le thème après 1848.

Daumier revient d'ailleurs au sujet, une seconde série des *Robert Macaire* parut dans *le Charivari* entre octobre 1840 et septembre 1842; les *Mésaventures et désappointements de M. Gogo* parurent dans *la Caricature provisoire* en novembre-décembre 1838. Assurément on goûtait autant les légendes que les images. Ces légendes devraient être étudiées sérieusement, car Barbey d'Aurevilly voyait dans cette « plaisanterie macairique » la naissance de la *blague,* « la blague, la grande Blague, cette farceuse, solennelle et cynique, qui entra comme un genre dans les habitudes du temps ».

Hippolyte Castille fera remarquer (*les Hommes et les mœurs sous Louis-Philippe,* 1853) que ce Robert Macaire est devenu « un type social;... il est marqué au coin de l'ère industrielle, et appartient au XIX^e^ siècle, comme Tartuffe au XVII^e^ et Figaro au XVIII^e^ ». Jean Gigoux admira vivement la suite, et Girardin lui-même vit ses affaires compromises par la publication. Philipon l'assure (*Floueur,* p. 106), et raconte que Girardin avait créé la Banque Industrielle, mais « malheureusement, au moment de cette philanthropique entreprise, parut le premier numéro de la série caricaturale des *Robert Macaire,* et les actions de la banque ne se placèrent plus: le moucheron vint à bout du lion ». Le moucheron attaquait d'ailleurs le lion non seulement grâce aux *Robert Macaire,* mais par de nombreux articles ou échos paraissant très souvent dans le journal; Girardin y répondit le 10 septembre 1836, se plaignant que « la presse entière ne soit pas venue protéger son chevet », mais, dès le 11 septembre et jusqu'au 19, des remarques insidieuses mirent en garde les lecteurs de *la Presse,* et ridiculisèrent les actions du *Physionotype,* du *Panthéon des Grands Hommes,* des mors de chevaux, des peignes modèles, etc.; la *banquerie* de l'escamoteur Girardin fut opposée à la *banque* philanthropique du grand honnête Laffitte.

***

Le personnage de Robert Macaire ne pourra manquer de séduire Balzac. Celui-ci connaît Frédérick Lemaître depuis 1836 au moins; il va le voir à Pierrefitte en 1840; et c'est peut-être grâce au grand acteur qu'il a fait la connaissance de Robert Macaire. Il en parle à plusieurs reprises dans ses romans à partir de 1839; il projette même un *Macairmann.* Mais il faut se demander si ce n'est pas au Robert Macaire de Daumier qu'il pense avant tout, dès le moment où il évoque « ce vieux Robert Macaire de Nucingen ». En effet J.-H. Donnard (*Balzac, les réalités économiques et sociales...,* 1961) montre que « les machinations de la haute banque » sont symbolisées par *la Maison Nucingen* du grand romancier, et que Balzac écrit son roman, après des années d'hésitations (1835-1837), entre le 25 novembre et le 20 décembre 1837, c'est-à-dire peu après la publication de 66 Daumier dans *le Charivari,* et peu après celle des 50 premières planches offertes au public sous forme d'album en août 1837. De même que Daumier et Philipon, Balzac pense, dans son roman, à Girardin, et Donnard montre bien comment Girardin, se sentant visé, hésite à publier le roman dans son journal *la Presse* après avoir lu en février 1838 le bon à tirer, et finalement y renonce; le roman paraît en octobre 1838, et Balzac évoque alors à son propos « des choses trop épineuses qui ne cadrent pas avec la politique du journal ».

Dans ce roman, plein d'histoires de mines (mines de Wortschin), de faillites utiles au failli, on trouve l'apologie de *l'industrie* à la Robert Macaire, et des formules saisissantes qui pourraient être de lui, dont : « L'argent des sots est, par droit divin, le patrimoine des gens d'esprit. » On retrouve Robert Macaire dans *la Rabouilleuse, Une fille d'Ève, Ferragus, Modeste Mignon, le Cousin Pons, le Député d'Arcis, les Petites Misères, Splendeurs et misères* (1839-1847).

Les rapports Balzac-Daumier seraient bien importants à prouver, car on constate que Balzac commence ses fameuses spéculations après la publication de Daumier; c'est à la fin de 1837 qu'il rêve de la Sardaigne et de ses trésors, en 1840 qu'il veut partir en Colombie, en 1846 qu'il veut s'enrichir grâce à la pêche à la baleine ou à l'exploitation des hauts fourneaux de Montceau-les-Mines. Qui sait si cette intuition spéculative, apparue assez brusquement, ne lui est pas venue en feuilletant l'œuvre de Daumier et Philipon? Robert Macaire n'aurait-il pas fait un élève encore plus sensationnel qu'on ne le disait?

## LES *ROBERT MACAIRE* ET L'ART DE DAUMIER

Lorsqu'il commence la série, Daumier a trente ans; il travaille depuis quinze ans, mais surtout depuis six ans. Il est passionné de sculpture, et aussi d'expressionnisme. Il a modelé ses bustes d'hommes de droite pour Philipon; ses lithographies cherchent aussi le ridicule et l'odieux dans le visage des vieillards survivants de quatre régimes. Mais les procès de presse l'ont obligé à renoncer à la caricature politique, et il a cherché sa voie dans une série de têtes d'expression.

Il lui manquait encore le sens du geste, et c'est ce que lui apporte la suite des *Robert Macaire*. En 100 planches, il nous montre, sans se lasser et sans nous lasser, le même personnage avec le même visage rusé, la même expression. Toute la différence vient du geste. Daumier, homme du Midi, en connaît la valeur expressive, et il représente toujours Robert Macaire en action, renversé en arrière, affalé sur un fauteuil Voltaire, persuasif de tout son corps, convaincant avec ses mains tendues et ses bras écartés, indigné avec ses mains en avant qui repoussent une insinuation, promettant de la main droite levée un article excellent, montrant sa bonne foi, bien souvent, en ouvrant les bras et les mains, quand il n'applique pas ses deux mains sur son cœur. Bien des images sont inoubliables par leur dynamisme et leur valeur expressive.

De plus, au cours des deux ans que dure son travail, l'art de Daumier se fait plus personnel, son style et son dessin plus larges, et on peut vraiment dire que, loin d'être *ce qu'il a fait de moins bon,* sans dire que c'est ce qu'il a fait de mieux, la suite de *Robert Macaire* constitue une étape importante dans l'œuvre de Daumier. Une fois de plus, comme en 1830, Philipon lui a vraiment permis de se réaliser, et, partant des histoires sordides d'un grand brasseur d'affaires, de faire le portrait de l'homme nouveau, celui de la civilisation industrielle, qu'il n'a sans doute pas compris, mais qu'il n'a pu s'empêcher d'admirer. Toutefois, Barbey d'Aurevilly l'a bien dit, Robert Macaire est un « type de passage » comme Turcaret; il doit « s'en aller avec l'époque qu'il représente. Il a perdu de son mordant et de son comique, car la coquinerie qu'il exprime s'est transformée, déformée même »; et Barbey raconte que lorsqu'on remonta la pièce en janvier 1870 le « rire ne vint pas des lèvres intelligentes ou difficiles »; le *monde des affaires* avait d'autres interprètes.

Jean ADHÉMAR.

# *LE ROBERT MACAIRE DE FRÉDÉRICK LEMAÎTRE*

Dans une première série de planches, Daumier montre les deux compères, Robert Macaire et Bertrand, tels qu'on les voyait au théâtre représentés par Frédérick Lemaître : Robert Macaire avec son bandeau sur l'œil, son pantalon reprisé, et son gilet remonté par son ventre, montrant sa chemise et ses bretelles, comble de la vulgarité; Bertrand, petit, maigre, porte un chapeau haut de forme, dont le fond pend en arrière.

C'est la première façon de traiter le sujet, la première image publiée et annoncée est de ce type. Mais très vite Daumier est excédé par le bandeau sur l'œil de son Macaire, il montre son personnage de profil, puis dès 1837 il le montre sans bandeau.

Que font les deux complices? Ils annoncent l'émission d'actions, ils se répondent d'affiche à affiche, Robert Macaire essaie de se procurer de l'argent. Ils regardent leurs caricatures affichées chez l'éditeur Aubert, et Robert Macaire se déclare flatté de voir ses élèves parmi les membres les plus éminents de la société parisienne.

Cette première série a des qualités techniques assez remarquables, la mise en page y est bonne; mais le sujet est encore incertain, et les types sont trop fortement indiqués pour pouvoir être traités indéfiniment, et prêter à de longs développements.

Monsieur Daumier, votre série des Roberts Macaires est une chose charmante !... C'est la peinture exacte des voleries de notre époque..... C'est le portrait fidèle d'une foule de coquins qu'on retrouve partout, dans le commerce, dans la politique, dans le barreau, dans la finance, partout ! partout !!.... Les fripons doivent bien vous en vouloir...... Mais l'estime des honnêtes gens vous est acquise........ Vous n'avez pas encore la croix d'honneur ?...... C'est revoltant !!!..

Bertrand, j'adore l'industrie...... Si tu veux, nous créons une banque, mais là, une vraie banque!... Capital cent millions de millions, cent milliards de milliards d'actions. Nous enfonçons la banque de France, nous enfonçons les banquiers, les banquistes, nous enfonçons tout le monde! — Oui, mais les gendarmes? — Que tu es bête Bertrand, est ce qu'on arrête un millionnaire?

Caricaturana N°17.

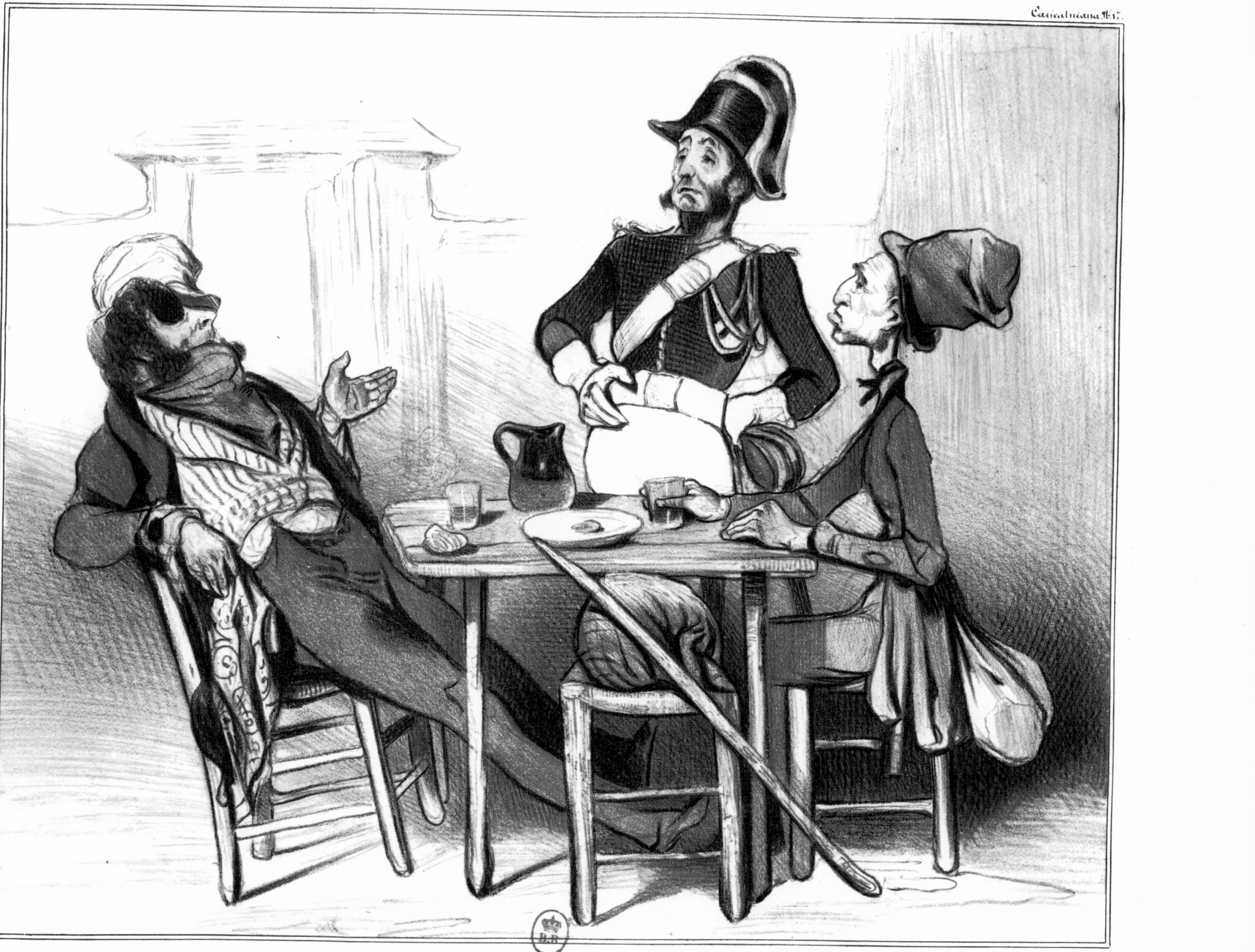

Nous sommes actionnaires de l'institut agricole et archi-celle de Coëtbo, du Physiono-trappe, de feu la société sanitaire, des Mons-Lycos, du papier de sûreté pour les voleurs, de la Blague, journal très politique et d'une foule d'autres opérations philanthropiques, nous venons de toucher nos dividendes et nous les mangeons en parties de plaisir.............. Garçon encore un sou de fromage!

**Robert-Macaire au restaurant.**

*Mon dieu!... par le plus grand de tous les hasards, mon ami et moi, nous n'avons pas pris d'argent ce matin...... Comme vous n'avez pas l'honneur de nous connaître je vous prie d'accepter en garantie des 6 f. 25$^{c}$ que nous vous devons, ces dix actions industrielles, ou bien le chapeau de mon ami.............. — J'aime encore mieux le chapeau de votre ami!*

Messieurs et Dames !

Les mines d'argent, les mines d'or, les mines de diamant ne sont que de la pot-Bouille, de la ratatouille en comparaison de houille.... Mais (que vous m'allez dire) tu vends alors tes actions un million?.... Mes actions, Messieurs, je ne les vends pas je les donne pour 200 misérables francs, j'en donne deux pour une, je donne une aiguille, un cure-oreille, un passe lacet, et je vous donne encore ma bénédiction par dessus le marché. En avant la grosse caisse !

Caricaturana N°2

Robert Macaire philantrope.

Vois tu, Bertrand, nous faisons là de la morale en actions...... en actions de 250 francs bien entendu! — Nous soignerons les actionnaires gratis, tu les purgeras, moi je les saignerai

Voulez-vous de l'or, voulez-vous de l'argent, voulez-vous des diamans, des millions, des milliasses ? Approchez, faites vous servir .......... Baoum ! Baoum ! Baoum-boum-boum !! Voici du bitume, voici de l'acier, du plomb, de l'or, du papier, voici du ferrrrrr gallllllvanisé ...... Venez, venez, venez vite, la loi va changer, vous allez tout perdre, dépêchez-vous, prenez, prenez vos billets ! prenez vos billets !! . (Chaud, chaud, la musique.)
Baoum ! Baoum !! Baoum-baoum-baoum !! Baoum ! Baoum !!

**Robert-Macaire renait de ses cendres.**

Par ma foi! La compagnie joue de malheur!..... Hier je fais assurer ma fabrique de colles-fortes et mon usine de pierres à fusil, à peine suis-je en règle avec vous que le feu se déclare sur quatre points. Tout est brulé, fondu, fricassé, je n'ai pû sauver que la plaque et mon contrat d'assurance. Je perds cent mille trois cents francs, cinquante et un centimes que vous allez me rembourser.................Quel effroyable malheur!!

Robert Macaire Schismatique.

En vérité, en vérité! Je te le dis, Bertrand, le temps de la commandite va passer, mais les badauds ne passeront pas. Occupons nous de ce qui est éternel..... Si nous faisions une religion? Heim! — Diable! Diable! Une religion, ce n'est pas facile à faire! — T'es toujours bête, Bertrand! On se fait Pape, on loue une boutique, on emprunte des chaises et l'on fait des sermons sur la mort de Napoléon, la découverte de l'Amérique, sur Molière, sur n'importe quoi! V'là une religion, ce n'est pas plus difficile que ça.

*Chaud! Chaud!! Bertrand, faut pousser a la vente de la marchandise, faut battre la grosse caisse, faire la parade, attirer l'attention du jobard. Chaud! Chaud!! Attaquons nous dans les journaux, écrivons nous, répondons nous, répliquons nous, injurions nous et surtout affichons nous........ — Tu crois que le public n'a pas la clé de ces frimes là? — Laisse donc, c'est comme nos serrures, tout le monde en a la clé excepté le public.*

Exploitation de la Paternité.

Ah ! Mon fils, ne perdez jamais la piété filiale, souvenez vous toujours qu'un père est le représentant de la divinité.... Dis donc, tu n'as pas quelques sous à me donner, je meurs de soif et je manque de tabac.

**Abus de l'article 214 du code civil.**

Madame mon épouse, vous me laissez manquer de tout, vous ne me faites qu'une misérable pension de trois mille balles, vous me consignez à votre porte comme un mendiant, et, qui plus est, vous voulez m'éloigner de Paris, m'expatrier, me déporter!.... Non, non, je ne quitterai pas la Frrrrance! non, non!!..... Ecoutez: Je dois 10,000 f. à mon ami Bertrand, c'est une dette de jeu, une dette d'honneur, je dois à mon gargotier 525, et dix francs à mon garni, total 10,535 f.; donnez moi de plus quelques mille francs pour distraire mes chagrins domestiques et je vous laisserai tranquille, parole d'honneur!

Caricaturana, N.° 15.

**Robert-Macaire mendiant distingué.**

Monsieur, est-ce bien à vous que j'ai l'honneur de parler? — A moi même, Monsieur. — J'en suis charmé! Vous avez là un bien joli chien! — En usez vous?... Parbleu! Monsieur, vous devez connaître ma famille, les Macairebec? Nous sortons tous de Brest, mon aïeul servait le Roi sur ses galères, mon père et moi appartenons aussi à la marine. Des malheurs judiciaires, des persécutions politiques nous ont plongé dans une affreuse débine et je n'hésite pas à vous demander un secours de dix francs... — Monsieur, je ne donne pas aux personnes que je ne connais pas. — C'est juste, c'est juste! Dans ce cas, prêtez moi dix francs.

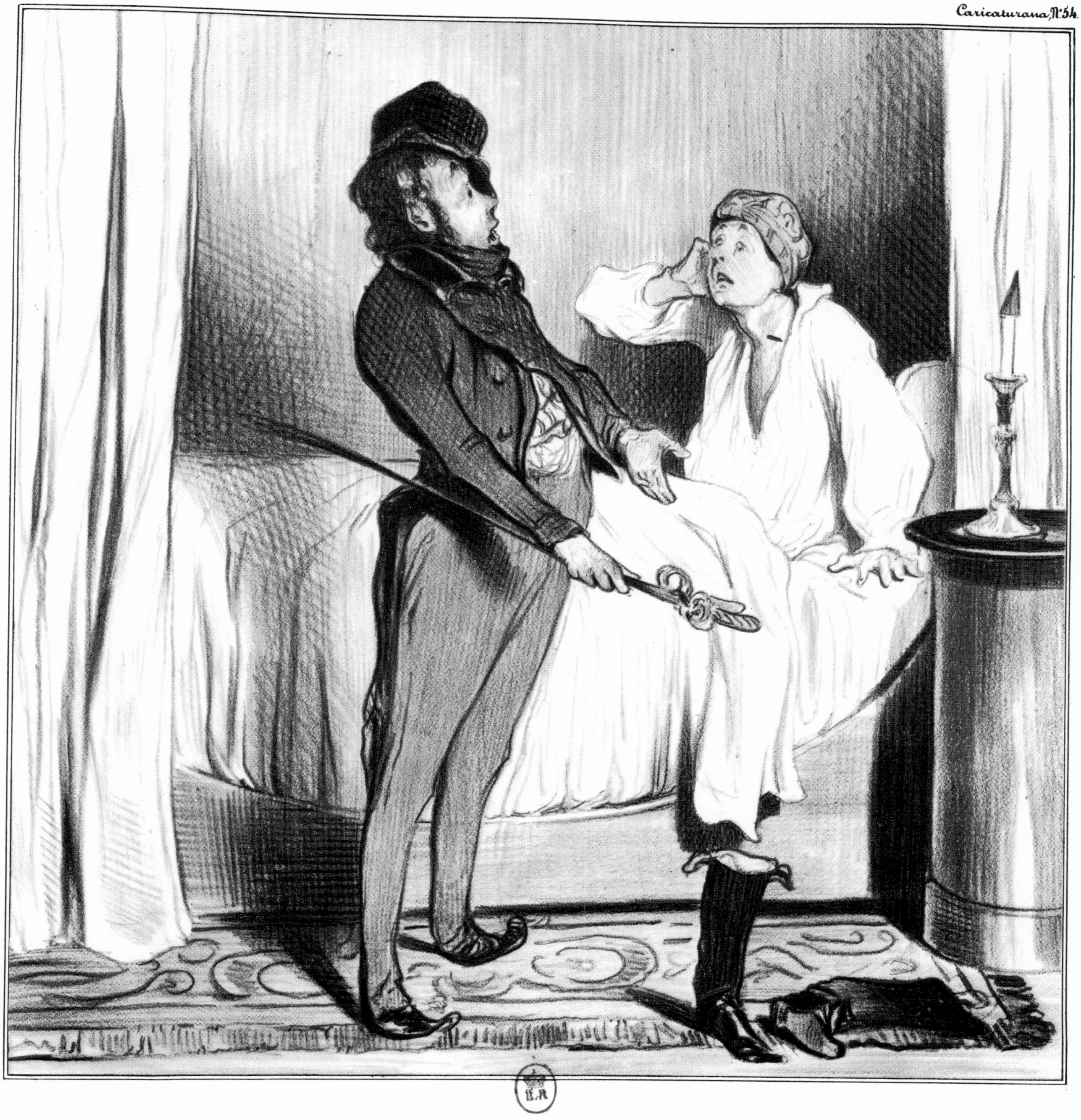


*Monsieur cela ne peut pas se passer comme ça!!.. Vous avez l'infamie de me faire demander l'argent que je vous dois..... Vous me mettez dans l'obligation d'avouer que je ne puis pas vous payer .. . Vous m'humilliez*

**Vous m'en rendrez raison, monsieur!!!**

**Bureau de remplacemens militaires.**

Y a Marchandise et Marchandise ! voulez-vous un remplaçant commun, ça n'vous coûtera que 800.f — mais, j'vous en préviens, c'est des filous, des voleurs, ça n'reste pas au régiment, ça s'donne de l'air à la première occasion et faut r'joindre......... Voulez-vous y mettre 1,500 francs, prenez-moi ça, c'est pas beau, mais, c'est bon, ça a des papiers....... tant qu'on en veut ! et ça n'bronchera pas du service pendant vos six ans.

Bertrand (à part,) Compte là d'ssus, Pékin !

**Brevet d'invention, capital 3 millions.**

Comment vous appelez-vous, brave homme? – M'sieu, je m'appelle Godichard, dit Boit-z-à-mort. – Ah, vous êtes le fameux Godichard, l'inventeur de la poudre bitumeuse! – Non, m'sieu, j'ai pas inventé la poudre ...... Si fait, si fait! et la preuve, c'est que nous vous offrons cinq cents francs pour votre procédé, votre matériel et surtout votre nom. Vous serez gérant de la société du Bitume Godichard. – Qué que j'aurai à faire, m'sieu? – Vous n'aurez qu'à boire, manger, dormir et signer. – Mais m'sieu, je n'sais pas signer. – Qué qu'ça fait! nous autres, du comité de surveillance, nous signerons pour vous.

Caricaturana. 64.

Robert-Macaire. – Je ne sais pas ce que l'on peut trouver d'amusant à toutes ces bêtises là.... – Bertrand, Je ne vois pas ce qu'on y trouve de piquant... – Robert-Macaire, C'est dégoutant ! C'est calomnier la société... – Bertrand, la gendarmerie ne devrait pas souffrir de pareils coquins !.... Robert. Macaire, De qui parlez-vous, imbécile ?... Bertrand, Je parle des caricaturistes.... – Robert-Macaire, A la bonne heure !!!

C'est tout de même flatteur d'avoir fait tant d'élèves! . . . Mais c'est embêtant, y en a de trop, la concurrence tue le commerce et pour peu que ça continue nous serons débordés, nous deviendrons perruques, rococos, nous crèverons de faim, faudra nous faire gendarmes ou capucins . . . . . . .

# *ACTIONS ET ACTIONNAIRES*

Daumier et Philipon renoncent au premier type, ne montrent plus Robert Macaire que triomphant. Vêtu d'un costume élégant, portant un monocle carré sur son gilet blanc impeccable, des favoris soignés, on le voit aussi très souvent porter une somptueuse robe de chambre afin d'étaler un insolent négligé d'homme arrivé. Bertrand n'a plus qu'un rôle tout à fait épisodique, et n'est plus présent désormais chaque fois.

C'est sous cette forme que nous verrons Robert Macaire dans 88 des 100 planches de la série.

Les sujets se précisent : les sociétés en actions et les actionnaires, la spéculation, Robert Macaire dans toutes les classes de la société, l'exploitation des sentiments les plus respectables, tels que l'amour, le mariage, la piété fidèle, la mort d'un fils, l'amitié.

Les pièces sur les hommes d'affaires et les sociétés par actions commencent la série; cette satire de la spéculation était tout à fait d'actualité. Le spéculateur (voir *les Français peints par eux-mêmes,* 1840, I, 302) est « l'homme par excellence de l'époque actuelle, la physionomie modèle du siècle de l'argent », celui qui a fait du vieux commerce traditionnel « une caverne de Robert Macaire ».

**Robert-Macaire Boursier.**

(**Robert** se répand dans les groupes en colportant des nouvelles qu'à la Bourse on trouve importantes)... J'apprends par courrier extraordinaire que le roi d'Angleterre a la coqueluche... une conspiration vient d'éclater à Pezenas, un Caporal a proclamé la république et a entraîné toute son escouade!.... le choléra est à Paris, je l'ai vu comme je vous vois, la police est sur ses traces.. (La rente baisse, **Bertrand** achète, alors **Robert** change de langage). Tout ce que je viens de vous dire est faux, je reçois, par le courrier ordinaire, la nouvelle que le roi d'Angleterre va bien, le caporal de Pezenas chantait la Mère godichon et son escouade faisait chorus, mon correspondant s'est trompé, quant au choléra, il est mort, son médecin l'a tué..... (La rente hausse, **Bertrand** revend avec bénéfice, et **Macaire** dit en s'en allant: enfoncé les Bêtas!)

47

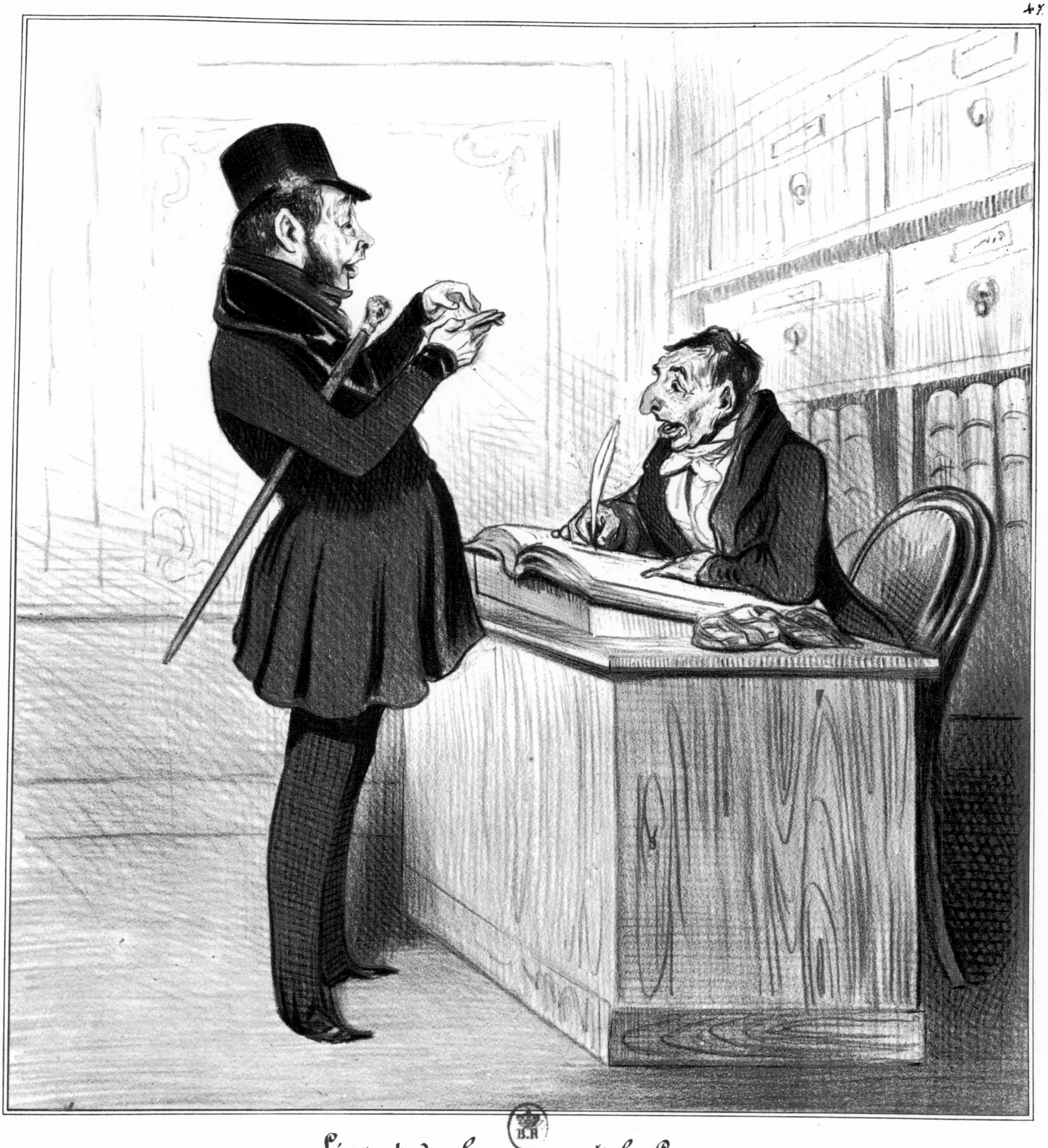

B.R

L'agent de change, après la Bourse.

Ecrivez : acheté 10,000 fr. de rentes 5/oo pour Mr Tripot, à 106f 90c ..... Bah ! C'est un bon enfant, mettez 80 centimes ..........

Acheté 15,000 fr. 5/oo pour Mr Moutonnet, à ........ C'est un animal qui se plaint toujours, mettez à 95 centimes, je lui apprendrai à suspecter ma bonne foi !

Caricaturana N°. 18

Robert-Macaire Banquier et Juré.

La nouvelle ne peut pas être connue à Bordeaux, prends la poste, crève dix chevaux, arrive le premier, joue ferme à la baisse et nous réalisons encore un million à coup sur........ moi, je vais au Palais, nous condamnons ce matin un drôle qui a volé dix francs........ voler dix francs...... pppppolisson.

Robert-Macaire agent d'affaires.

Que diable ! Mon cher, vous êtes bien bon de vous échiner à payer vos dettes, éteignez les donc tout d'un coup ! — Comment, ça ? — Parbleu ! Apportez moi vos livres, je les arrangerai, c'est ma spé-cialité, nous ferons un petit passif, un gros actif, nous assemblerons vos créanciers, nous offrirons cinq pour cent payables en dix ans ; pendant dix ans vous ne donnerez rien, dans dix ans vous recommen-cez, les créanciers seront morts, les dettes oubliées et tout sera dit......

# Un bon arrangement

Je ne suis pas commerçant, vous n'avez pas prise de corps contre moi, mes meubles sont — insaisissables je n'en ai point… faites donc protester mon billet si vous voulez, faites des frais si cela vous amuse, vous perdrez tout… tenez! arrangeons nous. J'ai une lettre de change de la la maison Bertrand, acceptée par la maison Wormspire, escomptez moi cette valeur, payez vous, donnez moi le surplus et nous serons quittes…

Pauvre tailleur!!

Caricaturana N° 44

Robert-Macaire Libraire.

Messieurs et Dames, y aurait-il dans cette aimable localité quelqu'un qui voudrait se faire un fort joli revenu sans peine et sans travail?... S'il en est un, qu'il prenne en dépôt mes abécédaires...... C'est une spécialité pour laquelle il n'est pas besoin d'être libraire, pas besoin d'être connaisseur, pas besoin de savoir lire, au contraire!_ Il suffit de me verser un cautionnement!...... Les plus gros sont les meilleurs, comme dit la chanson

Caricaturana, 62.

Écris : Monsieur,
En réponse à la lettre que vous m'avez fait l'honneur de m'écrire, j'ai le regret d'avoir à vous annoncer que les actions de la **Société Européenne du Cirage incombustible** ont été intégralement souscrites. Toutefois, j'ai enregistré votre demande et dans le cas d'une nouvelle émission, j'aurais l'honneur de vous en donner immédiatement avis.
Je suis &c. Le directeur, R. Macaire.

Fais imprimer, tirer à 300,000 et empoisonner la France...... — Comment ! nous n'avons pas placé une seule action, nous n'avons pas une seule demande, nous n'avons pas le sou et tu....... — Bertrand ! vous êtes bête comme une carpe..... Faites ce que je vous dis et vous verrez !.......

**Messieurs les actionnaires.**

Le créateur de la société, Mr Macaire, s'est démis de ses fonctions de gérant. Voici l'état dans le quel il a laissé l'opération : Capital social 800,000 f — Dépenses d'affiches, annonces, prospectus, articles payés 400,000 f — achats de fourneaux économiques, allumettes, casseroles et carottes 1re qualité, 400,000 f. — reste en caisse quatre cent mille zéros...... En un mot, notre fonds est fricassé nous l'avons mangé ; le bouillon dont nous devions inonder Paris, c'est nous mêmes qui l'avons bu et si nous ne mettons pas du beurre dans les épinards, la marmite est renversée.

(Un nouveau versement de 800,000 f. est voté à l'unanimité....)

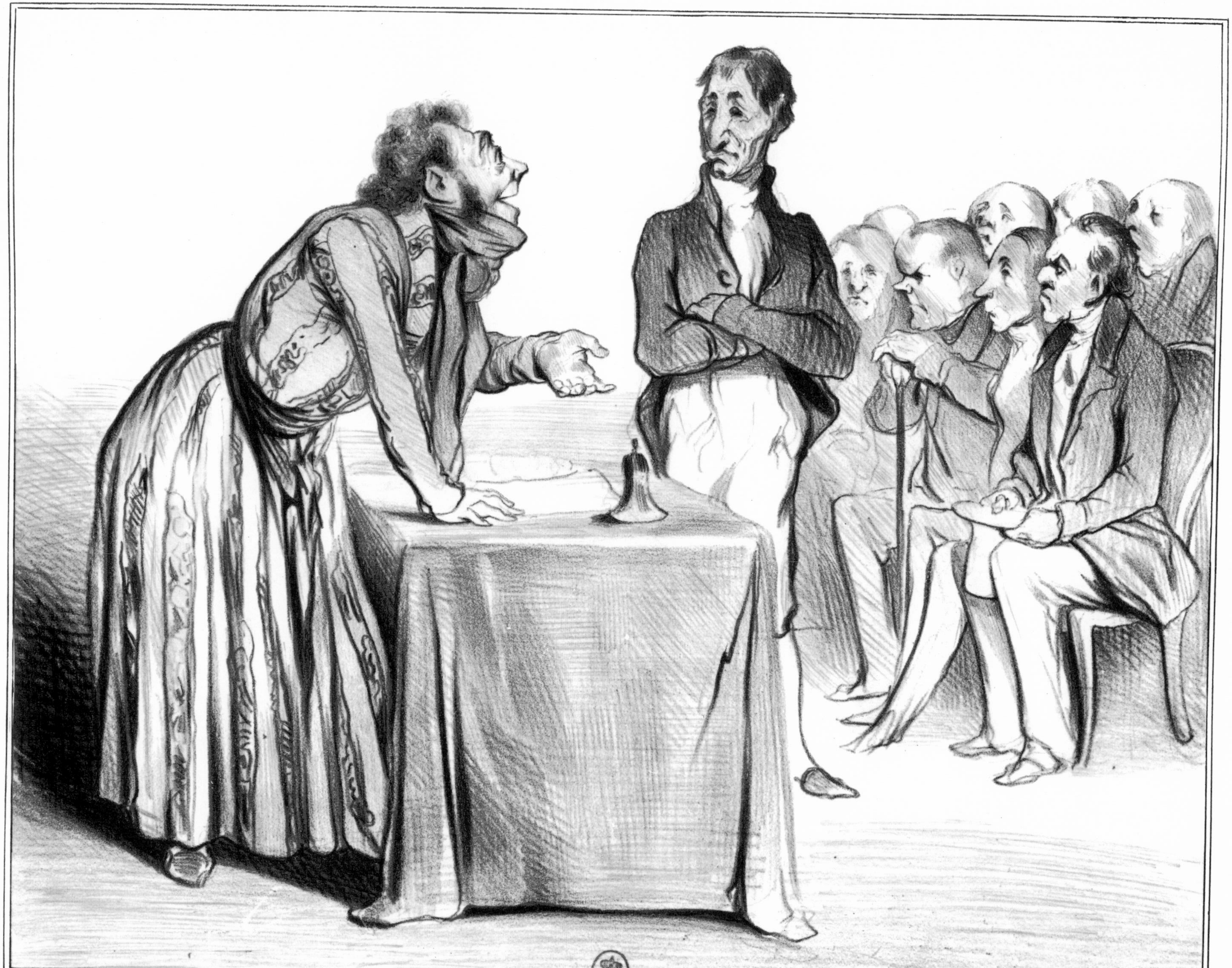

L'assemblée d'Actionnaires.

Messieurs, le journal, franchement monarchique, que j'ai eu l'honneur de fonder avec vos capitaux et de diriger avec ma probité et mes lumières, a dépassé toutes nos espérances...... il a vécu deux mois, n'a dévoré que trois cents mille francs et n'attend plus pour reparaître qu'un nouveau versement!...... Bertrand, conduisez ces Messieurs à la caisse.

Grand placement d'actions.

J'ai aujourd'hui de bien bonnes actions à placer, Mr Desrognures, en voulez-vous ? — C'est selon : Qu'avez-vous en actions ? — J'ai 3000 actions de fonderies. — Affaire fondue ! — 2000 actions des usines. — Usé, usé ! — 10,000 actions des brasseries, opérations magnifiques... — Oui, faites les mousser ! — J'en ai du recueil des connaissances. — Connu, connu ! Enfin, combien cela fait-il en bloc ? — Un milliard ou deux, pas plus.... — Un milliard.... le papier est mince.... cela doit donner cent livres... à 4 sous... ça vaut 20 francs.... — Deux milliards pour 20 francs ! !! y pensez-vous mon cher ? .. Mettez au moins 25 francs ! — Pas un liard. — Allons, enlevez. Vous faites un marché d'or.... — Farceur, vous me dites tous les jours la même chose.

Caricaturana, 80.

**Robert-Macaire actionnaire.**

*Mais Mr Macaire quand je vous ai distribué ces dividendes, vous saviez bien qu'ils étaient pris sur le capital? — Qu'importe! vous n'aviez pas le droit de les distribuer, vous devez nous les rendre. — Vous les rendre!!! mais vous les avez acceptés, c'est à vous de les rendre. — Vous n'aviez pas le droit de nous les distribuer, je ne sors pas de là, vous devez nous les rendre, je ne sors pas de là*

## Une mine d'or qui dort

Ah! ça, nous avons bien réalisé notre million, mais nous avons promis de l'or et nous ne trouvons que du sable. ........ — Va toujours! exploite ton capital, n'est ce pas une mine d'or ..... — Oui, mais après ... — Après? tu diras je me suis trompé, c'est à refaire ..... et tu formeras une société pour l'exploitation du sable ..... — Brrrrrrtt!! il y a des gendarmes dans le pays ..... — Des gendarmes?... tant mieux, tant mieux! ils te prendront des actions.

## Cabriolets en actions.

Ça n'roule pas, mon cheval me mange, les frais me dévorent, je crève de faim. — Que t'es bête, mon pauvre Bertrand ! Change ton poulet d'inde contre un pur-sang, ton sabot de 120f balles contre un tilbury, ta livrée de misère contre une pelure de jockei, mets ton zéphir en actions...... Capital trrrrrrrois cent mille francs ! Des promesses, des blagues à tord et à travers, augmente tes dépenses, diminue les bénéfices, tu te rattrapperas sur la quantité.... — Sur la quantité de quoi ? — La quantité d'actions, jobard !!!

Caricaturana N°. 13

**Robert-Macaire agent d'affaires.**

Hier je me suis trompé en disant que votre affaire est bonne, elle est détestable. Le gouvernement vous doit cinq cents mille francs, c'est vrai, mais la créance n'a pas été reconnue, il y a aujourd'hui déchéance, vous n'aurez pas un sou. — Cependant, tenez, j'y pense, voici M. de St Bertrand, un riche capitaliste, un imbécille, vendez lui vos droits cent écus, ce sera une affaire magnifique ......

Une autre fois je fis encore un bon tour...... j'avais créé une société au capital de dix millions pour l'exploitation des tiges de bottes en carton.... je n'avais placé que huit actions représentant 1200 malheureux francs.... j'assemble mes huit actionnaires ! et je leur tient à peu près ce langage. Eh ! bonjour Messieurs les badeaux, Que vous êtes jolis, que vous me semblez beaux !

Je leur promets plus de fromage que de pain, je leur distribue un dividende de 50 p% je les chauffe un peu, et je laisse mijoter........ le lendemain on s'arrachait mes actions, je les place toutes et, à la réunion suivante je dis : Dans le dernier compte, je me suis trompé, j'avais oublié le prix du carton et la façon, vous me redevez le dividende distribué, je vais le retenir.......... je posai zéro et je retins le reste.

Ah ! ah ! ah ! ah (fait Bertrand) – hi ! hi ! hi ! hi ! (fait Wormspire.)

Caricaturana N°10.

Robert-Macaire Avoué

Gagné, mon cher, Gagné sur tous points ! — C'est bien temps, un procès qui a duré dix ans et qui m'a ruiné ! — Mieux vaut tard que jamais ! — Enfin combien me revient-il ? Le voici : la cour vous accorde 12000 f. — Nous avons 13000 f. de frais. Vous ne me devez plus que 1500 f. — Mais alors, je perds 1500 f. — Oui, mais vous gagnez votre procès…………

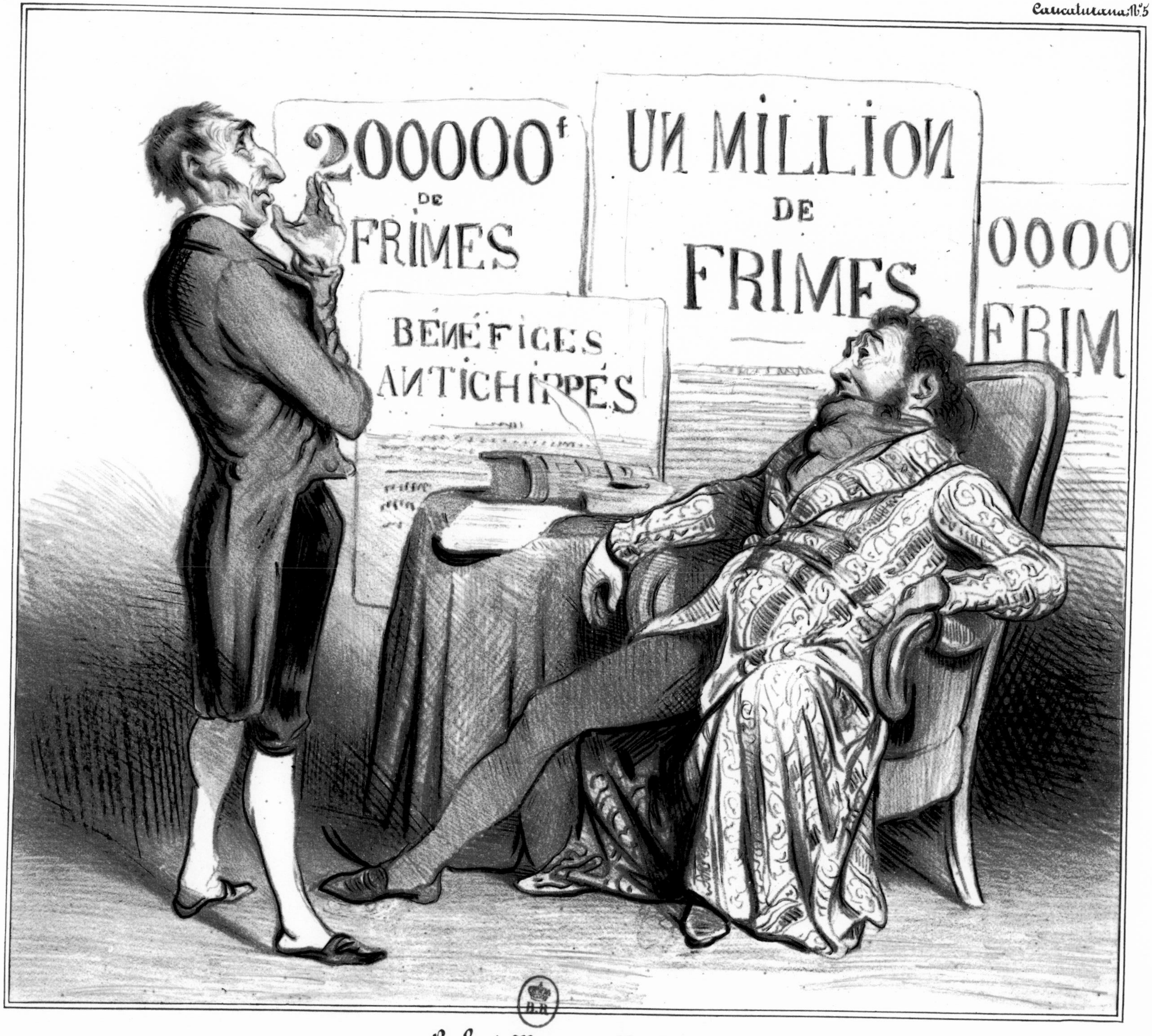


Robert Macaire Notaire.

O sublime Macaire! toi, Notaire de toute la banque, des banquistes, créateur des bénéfices chippés, des frimes de toute couleur et de toute grandeur, tu es calomnié, tu passes pour un Paltoquet!...... Ingratitude de la Société............ en commandite!!

**Robert Macaire Journaliste.**

C'est une nouvelle combinaison ! Le Journal nous revient à 23 f. 50 c. nous le vendons 20 f. bénéfice 3 f. 50 c. Un million d'abonnés, 3 millions 500 mille f. de dividende
C'est clair comme le jour ! Qu'on me réponde pour des chiffres...... Seulement par des chiffres ou j'attaque en diffamation.

*Monsieur on m'a volé un billet de 100 – Très bien ! Madame j'ai votre affaire, le voleur est un de mes amis. – Pourrais je ravoir mon billet et connaître celui qui me l'a pris ? – Rien n'est plus facile ! Donnez moi 1500 f pour mes démarches et demain le voleur vous rendra le billet et vous remettra sa carte*

Caricaturana, 20.

# A TOUTES LES PERSONNES QUI ONT DES CAPITAUX A PERDRE.

*Pour cent francs, un centime et quart à manger par douze heures*.......... **EN VOILÀ DES RENTES!!**

*Principes nouveaux!! Nous divisons l'intérêt en centimes et par heures*...... **EN VOILÀ DE L'INVENTION!!!**

*Garanties offertes aux actionnaires.* { *Le gérant prendra l'argent de la société et en déposera une partie à la banque*.......... **EN VOILÀ UNE BANQUE!!!!**

*Capital*.......... *Nous ne le disons pas, il faut le voir pour le croire*.

**EN VOULEZ VOUS DE L'INDUSTRIE, EN VOILÀ!!!!!!!!**

# *ROBERT MACAIRE*
# *ET LES SPÉCULATEURS*
# *LA PRESSE*

Cette suite est consacrée à la spéculation sur les actions, alors nouvelle, et sur l'appui que peuvent lui apporter les campagnes de presse des journaux.

Vous êtes banquier, monsieur ? — Oui, monsieur, je fais une banque, et une fameuse ! J'ose le dire. je fais la caisse du commerce et de l'industrie, capital 8 millions. Ma haute capacité, ma probité, mes connaissances financières sont une garantie du plus immense succès, aussi les actions s'enlèvent, on se bat pour en avoir et l'on en a pas, elles sont toutes prises. . . . .
— Tant mieux, monsieur, car il vous sera plus facile de payer cette lettre de change de cent écus pour laquelle je vous arrête. — (Macaire stupéfait) Fichtre !! C'est différent ! . . . . . Alors, monsieur, la vraie vérité, c'est que je n'ai pas le sou, je n'ai pas le premier sou ! . . . Mais attendez un peu et la première action qui se placera sera pour vous.
Avis : On souscrit chez Mr. Bertrand, Agent de change, Mr. Wormspire, Banquier et Mandrin, Notaire.

Caricaturana, 56

Monsieur ! Monsieur !! m'offrir 500 francs pour me faire commettre une semblable injustice !!! C'est une indignité ! une abomination !! une infamie !!! – Monsieur Macaire, j'ai dit mille francs. . . . – Dix mille francs ! cela est tout de même très mal de votre part. . . – Mon dieu ! si vingt mille francs pouvaient. . . . – Six vingt mille francs, vous voulez dire 120,000 francs ? mais vraiment je ne dois pas.

Ces Messieurs finissent par se parler très bas, on ne les entend plus, mais ils s'entendent parfaitement.

**Entendons nous bien !**

Bertrand va se faufiler dans tous les groupes de la bourse, et chauffer les actions du Bitume bitumineux, il les fera mousser, il dira qu'elles s'enlèvent, qu'on se les arrache, qu'elles montent comme des ballons. . . . . . . . Vous, Baron, qui avez un certain chic, vous allez en acheter à 20/00, 30/00, 100/00 d'augmentation, je les ai toutes en portefeuille, on ne pourra donc pas vous les livrer ; nous les vendrons ce que nous voudrons et la providence fera le reste

(Bertrand) En avant, marchons<br>
Contre les dindons,<br>
Volons . . . . . . . etc.

Dis donc, Macaire, qué que c'est que c'thé d'la mère Gibou que nous faisons là? – Bêta! C'est du bitume. – De la boue, de la crotte et des cailloux, tu appelles ça du bitume? excusez!.. faudra que les actionnaires soient bons enfans s'ils avalent celui là.... – Bah! ils avalent bien le bitume vitrifié, le bitume coloré, le bitume marbre, y-z-ont les foies chauds; c'est des vrais poulets d'inde, ça digère tout.

Robert Macaire Directeur d'un journal industriel.

Monsieur, je fais le plus grand cas de votre opération, c'est une affaire magnifique..... Voulez vous que j'en rende compte dans mon journal La Commandite ? - Monsieur vous êtes bien honnête, cela me fera plaisir...... - - pour 1000 f. je vous ferai un article ronflant.... - mille francs!!.. c'est horriblement cher, j'aime mieux m'en passer.... - Comme vous voudrez, mais dans ce cas tenez vous bien car je vais discuter votre, contester votre apport évaluer vos bénéfices.... je dois à ma conscience éclairer le public sur toutes les affaires désastreuses et je n'irai pas manquer à ma mission pour vous faire plaisir

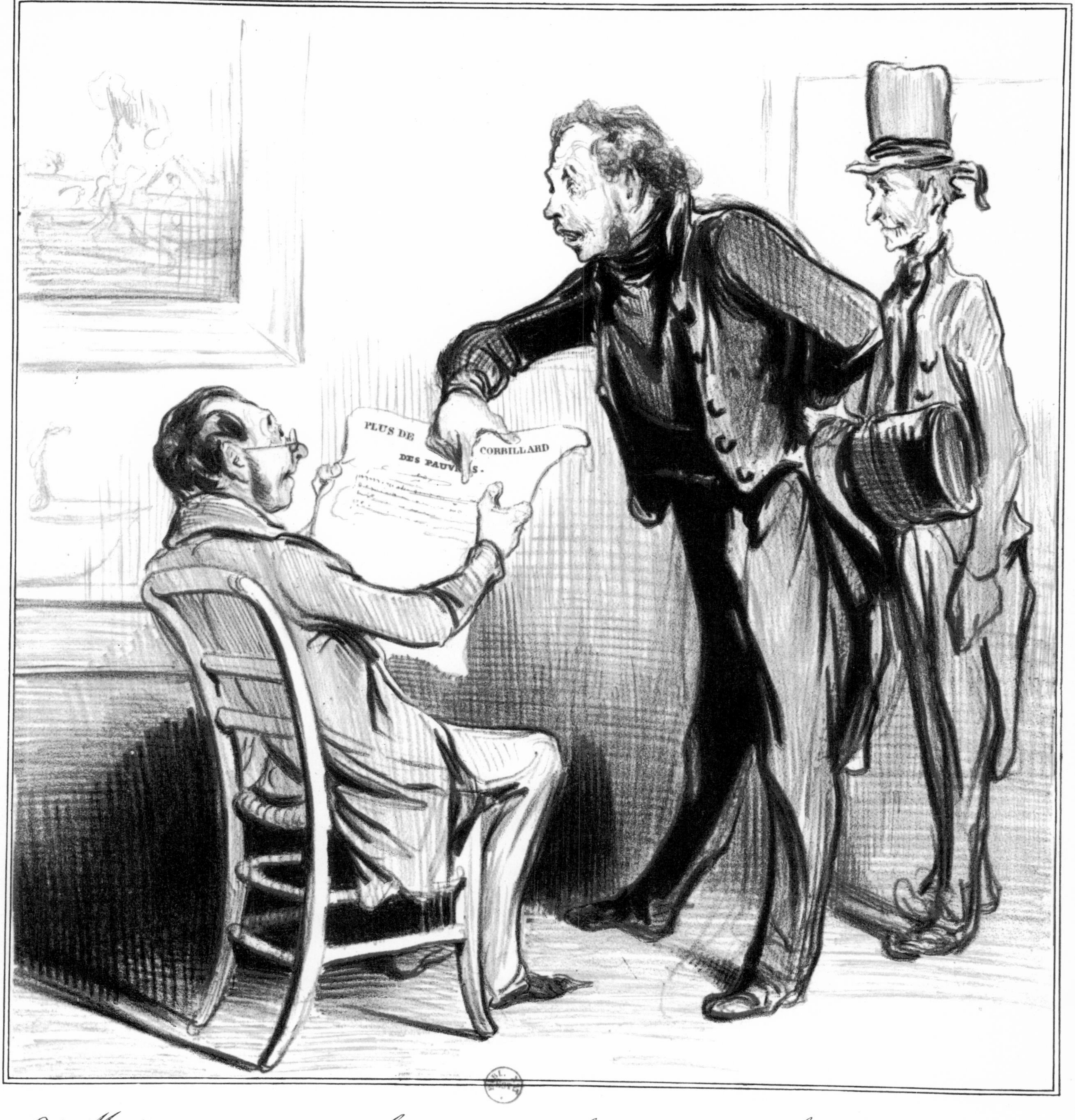


Oui, Monsieur, moyennant un petit abonnement à notre assurance vous serez assuré de mourir ..... de mourir en homme comme il faut; de vous en aller dans une bonne voiture, bien commode; d'être pleuré par les pauvres de l'arrondissement et de laisser une veuve inconsolable en lettre d'or sur votre tombeau ..... – Et si vous ne teniez pas vos promesses? – alors il vous resterait nos quittances et votre recours devant les tribunaux.

Robert-Macaire Journaliste.

Je vous apporte un article sur la loi nouvelle. Je l'éreinte drôlement, vous verrez ! — Mais à quoi pensez vous, Monsieur Macaire, ce n'est pas à nous qu'il convient d'attaquer cette loi là, nous devons la défendre. — Ah ! Bien ! Bien ! Je vais retoucher ça, et je vous en fais un article mousseux en faveur de la susdite.

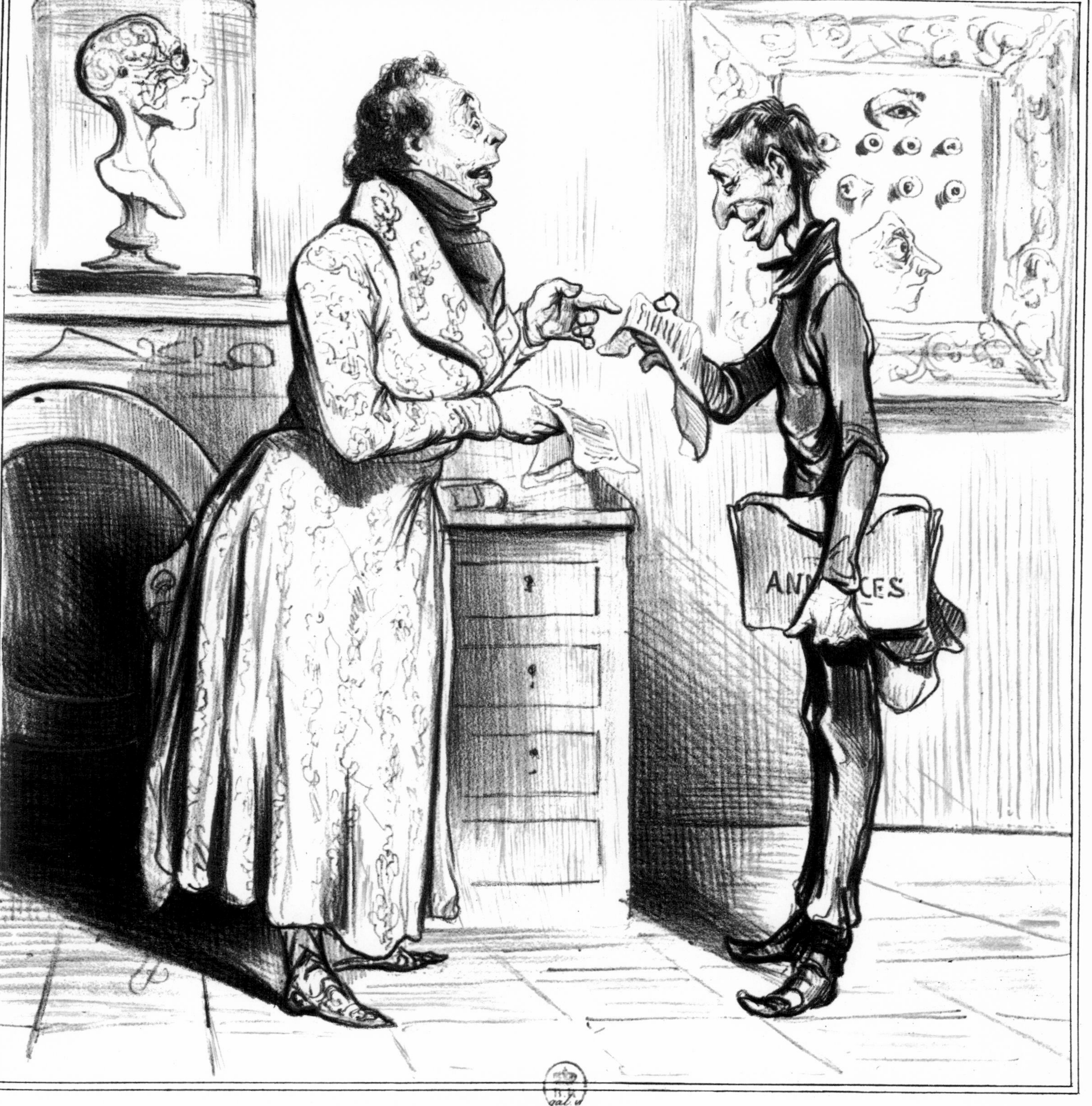


Tu vas porter cette note aux journaux.

Un provincial ayant par mégarde avalé une blague, devint subitement chauve et insolvable, le célèbre Docteur Robert-Macaire en conclut que les blagues ruinant les uns doivent, d'après le système omeopathique, enrichir les autres. Le traitement lui a complètement réussi : Avis aux perruques.

Et comme je suis nommé, dans cet article, demain, en vertu de la loi du 9 7bre 1835,
je réclamerai l'insertion de la lettre que voici.

Monsieur le Redacteur,

Je vous prie de déclarer que vous ne tenez pas de moi l'article dans lequel vous m'avez nommé hier, je m'occupe il est vrai de guérir la calvitie (rue Belle charge N.° 1) mais je la traite par un autre moyen que celui dont vous parlez.

J'ai l'honneur etc.

Robert-Macaire (rue Belle-charge, N.° 1)

Robert Macaire Négociant.

Hé bien ! Monsieur Macaire, vous reprenez donc vos opérations ? — Oui j'ai mon concordat. Parbleu ! mes créanciers ne se plaindront pas, je leur abandonne :

En traites sur la maison Bertrand, Wormspire et Cie .......... un million.
En une créance sur le gouvernement des îles Sandwich .......... un million.
En bons d'Espagne .......... un million.
La dot de ma femme en actions sur le papier, les tiges de bottes, les parapluies, les cuisines roulantes et autres banques industrielles .......... un million.

Total, quatre millions et je n'en dois que trois ! On ne dira pas que je fais perdre un sou !
— Mais ces créances me semblent difficiles à recouvrer. Croyez vous qu'on les fera rentrer ? — Ah ! pour cela, ça ne me regarde pas, écoutez donc ! C'est l'affaire de mes créanciers et je ne me mêle pas des affaires des autres.

**Robert-Macaire, Commissionnaire.**

*Que diable ! monsieur, vous dites ne payer que le samedi et voici trois samedis que je me présente pour une facture de 9f,50 je ne puis jamais recevoir..... — Vous serez venu trop tôt, la caisse n'ouvre qu'à trois heures. ..... — Hé bien ! il est trois heures et quart. — C'est trop tard, la caisse ferme à trois heures précises..... que diable ! monsieur, tant pis pour vous ! il faut être exact ! venez à l'heure !*

Laissez venir à moi les petits enfans! .......

Comprends tu la parabole, Bertrand? - comprends pas! - bêta! nous formons une association paternelle et philantropique, nous recevons 5/o dans le présent, pour donner 500 pour 100 dans l'avenir .......
- Et que ficherons nous dans l'avenir! - Nous ficherons le camp, Bêta! et nous planterons la la tontine,

Tonton, ton-ton, Tontine, ton-ton!

**Robert Macaire Escompteur.**

*Voici mes conditions: Vous me ferez une lettre de change de 40,000 f. je vous donnerai 25 f. argent, – 3000 f. de moutarde blanche et de socques articulés, – 3000 f. de pommes de terre frites, – une roue de cabriolet – deux vaches, – quatre actions du Physionotype et un quintal de connaissances utiles..... Je n'ai pas d'autres valeurs en portefeuille, mais cela vaut de l'or.*

# *ROBERT MACAIRE*
# *EXERCE TOUTES LES PROFESSIONS*

Pour montrer, comme dit Philipon, que « Robert Macaire est partout », Daumier le montre exerçant les professions les plus diverses, surtout celles qui touchent au théâtre et à la médecine.

Caricaturana, N°. 15.

## Robert-Macaire Commis voyageur.

............Comment, diable! M. Dumont, un homme comme vous doit avoir les connaissances utiles!!... il faut que je vous abonne.......— Non, non, c'est inutile, je n'en veux pas.— Vous avez bien raison!... mais je vous vendrai une bonne pièce de Bordeaux.— Non, non, c'est un vin trop froid, je ne l'aime pas...— Vous avez ma foi bien raison! n'en parlons plus, je vous inscris seulement pour les connaissances utiles et pour une pièce de Bordeaux....— Non Mr. Macaire, non!— C'est bon, mon dieu! C'est bon! Vous me payerez ça quand vous voudrez, j'enverrai demain la quittance!

Ch. Ph. inv. H. D. lith.

46.

## Spéculateur Dramatique

Votre ouvrage est assez bonne..... je la ferai recevoir, je ferai copier le manuscrit et vous ne me donnerez pour cela que les trois quarts du droit d'auteur..... mais une chose à la quelle je tiens, c'est que je sois seul en nom, c'est une condition Sine qua nonne!

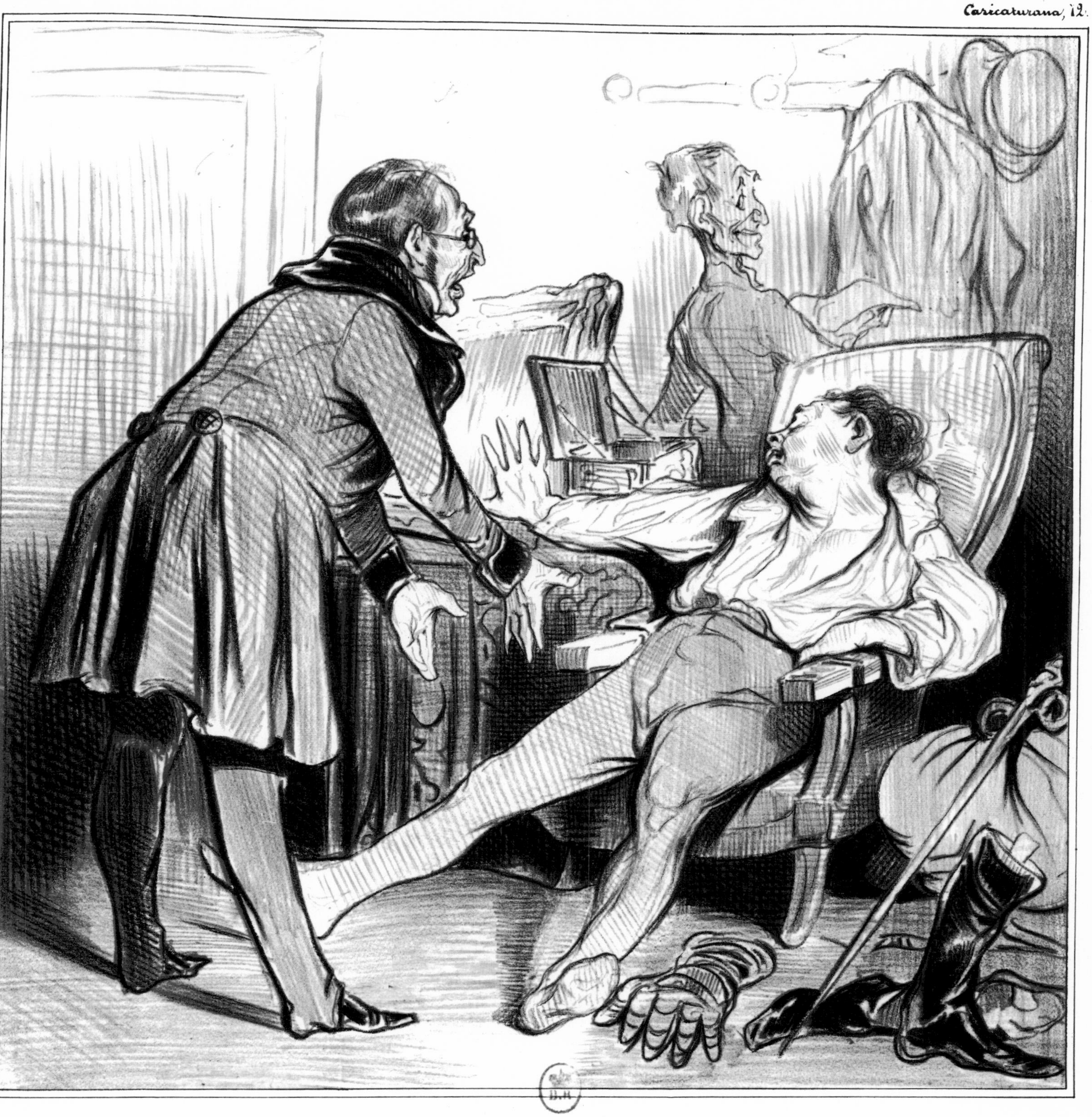

Recette pour guérir la colique.

Mr. Macaire, mon cher ami, ne me faites pas manquer cette soirée, j'en ai tant besoin. — Ah! mon ami, je ne puis jouer, je souffre trop.... — Essayez, je vous en conjure..... le public vous demande, il crie, menace, veut briser les banquettes, je vais être forcé de rendre l'argent...... voyons je doublerai vos feux...— Oh là! Oh là!.... chauffez des serviettes!..... du vin chaud!.... chauffez, chauffez!!...— Je triplerai vos feux...— Chauffez toujours, chauffez!...... chauffez les serviettes....— Nous partagerons la recette.........— Nous partagerons la recette? levez le rideau, la farce est jouée, le drame commence.........

Mr. de Robert-Macaire restaurateur.

Nous exploiterons la carotte en grand! Nous servirons le potage en voitures nous aurons des tables sur toutes les bornes, nous ferons pleuvoir dans Paris les allouettes roties........ Nous......— Avez-vous déja réalisé quelque chose de ce beau pojet!?— Comment donc! mais sans doute, sans doute! J'ai réalisé les actions.

**Pensionnat Robert-Macaire.**

Mr le professeur, voici mon système d'éducation : Mener les études doucement pour qu'elles aillent longtemps, donner des vacances, recevoir des cadeaux à tous les anniversaires possibles et quant aux prix, être d'une impartialité parfaite..... — C'est juste, n'en donner qu'aux meilleurs élèves .. — Fichtre ! Pas si bête ! Mécontenter les parents ! Non pas, non pas, donner des prix à tout le monde, chacun le sien !

**Préparateur au Baccalauréat.**

Nous avons deux manières de vous faire recevoir: la 1re C'est de faire passer votre examen par un autre, la 2e c'est de vous le faire passer à vous même . . . – Je voudrais le passer moi-même. – Bien ! . . savez-vous le grec ? – Non. – le latin ? – Pas d'avantage. – Très bien ! . . . . . vous savez les mathématiques ? – Pas le moins du monde. – Que savez-vous donc ? – Rien du tout. – Mais vous avez 200 francs ? – Certainemt. – A merveille ! . . . . . vous serez reçu jeudi prochain.

Vous allez donc m'instruire en huit jours ? . . . . . . . Par exemple ! ! ! ! ! . . je me charge de vous faire recevoir, oui ! mais de vous enseigner, non pas, non pas.

**Un propriétaire.**

Oh! Monsieu de Macaire, pour un misérable terme arriéré vous ne nous mettrez pas dans la rue...... — Et où diable! voulez vous donc que je vous mette!...... — Mais nous avons dépensé 30,000 f. dans votre boutique!.... — Raison de plus, ça me reviendra.... — J'ai quatre pauvres petits enfans...... — Ce n'est parbleu! pas moi qui vous ai dit de les faire!......

*Vous ne rougissez pas, vous, un propriétaire, de demander de l'argent à un pauvre diable de locataire . . . . – Eh ! à qui donc en demanderais-je, de l'argent, est-ce au receveur des contributions ? – Demandez en parbleu ! à qui vous voudrez, quant à moi, je n'en donnerai certainement pas, au contraire . . . . – Au contraire !!!!! il faudra peut-être que je vous en donne pour vous faire en aller . . . . – Vous l'avez dit, mon doux Crésus, vous m'en donnerez pour mon déménagement, vous m'en donnerez pour mon emmenagement, vous m'en donnerez pour dédomagement . . . . . ou bien . . . . . . je reste . . . . . . vous ferez des frais . . . . congé, signification, jugement, saisie etc etc etc etc etc etc tout le bataclan, tout le tremblement . . . . . . . . . . . . . . nous rirons comme des bossus ! . . . . . . .*

Robert Macaire Md. de Bibles.

Bertrand.- Les souscripteurs disent que nous sommes des farceurs, que nous nous f.... fichons deux et ils nous f..... fichent à la porte ..... -Robert Macaire- De quelles expréssions vous servez vous drôle! ... parlez plus décemment devant moi ou je vous f... fi... flanque par la fenêtre...... Ce sont vos airs mondains, vos paroles mondaines qui scandalisent les souscripteurs, retournez-y..... s'ils vous fichent à la porte, rentrez par les fenêtres, s'ils vous fichent un soufflet, tendez l'autre joue...... mais ne revenez pas sans abonnements, malheureux ou je vous f.... ma malédiction!

Monsieur, je méprise le charlatanisme de l'affiche, je méprise les Puffs de l'annonce, j'abhorre tout ce qui sent le charlatan, le sauteur, le danseur de corde et je me borne à produire tout naivement tout bêtement ma marchandise. Lisez mon catalogue! Parfum de l'amour, de l'estime et de l'amitié, en flacons moyen âge.... Extrait du sourire de l'enfance – Parfum des premiers pas d'Adolphe – Eau de l'alliance des peuples, pour le mouchoir, avec la chanson de Beranger. Parfum du Général Foy, odeur pour rafermir les fibres du cerveau et rappeler aux français leurs libertés et leurs droits garantis par la charte constitutionnelle. Entouré d'un discours prononcé sur la tombe de l'immortel député par un de ses honorables collegues. Vous le voyez, il est impossible d'être plus simple......

Fais bien attention !! Si l'on te demande du Rachaout des arabes pour l'engraissement de toute espèce de sultanes, du Nafé d'arabie pour l'alaitement des enfans de tout âge, du Kaïffa d'orient pour les gastrites et les cors aux pieds, du Teriobrounne pour les vomissemens, de l'Amandine, de l'Indostane, de l'Osman-Iglou, du Paraguay-Roux, de la Criosote, du Chocolat au Salep, de l'hypocras, de la Moutarde blanche pour les humeurs noires, les maux de dents et les déviations de la taille, de la Graine de choux colossal, tu prendras dans ce sac, toujours dans le même, ne vas pas te tromper !!! et tu serviras cela en poudre, en pâte, en liqueur ou en graine, suivant ton idée. — Diable, qué que c'est donc, que c'te graine là ?... — C'est de la graine de niais première qualité. — Fameux ! fameux !!!

Caricaturana, N° 53.

Apothicaire et Pharmacien.

Mon cher Boniface, il fallait autrefois à un apothicaire quarante ans pour gagner 2000 f. de rentes. . . . . . vous marchiez!... nous volons nous! – Mais comment faites vous donc? – Nous prenons du suif, de la brique pilée ou de l'amidon, nous appelons ça pâte Onicophane, Racahout, Nafé, Osmaniglou ou de tout autre nom plus ou moins charabia, nous faisons des annonces, des prospectus, des circulaires et en dix ans nous réalisons un million. . . . . Il faut attaquer la fortune en face, vous la preniez du mauvais côté!!

# Un Oculiste brèveté.

Ah! ça, Monsieur Macaire, depuis six mois vous me bassinez avec votre eau merveilleuse et je suis toujours aveugle. Céla finit par me couter bien cher, mon argent s'en va, c'est tout ce que je vois...... Hé bien! c'est déja quelque chose; continuez, vous finirez par y voir clair. .....(à Part) dans votre bourse.

## Robert Macaire Dentiste.

Sacrebleu ! Mr le dentiste, vous m'avez arraché deux bonnes dents et vous avez laissé les deux mauvaises..... (Rob. M. à part) Diable !!!.. (haut) sans doute ! et j'avais mes raisons.... nous sommes toujours à temps d'arracher les mauvaises... quand aux autres, elles auraient fini par se gâter et par vous faire mal.... Un ratelier postiche ne vous fera jamais souffrir, et c'est du meilleur genre, on ne porte plus que ça.

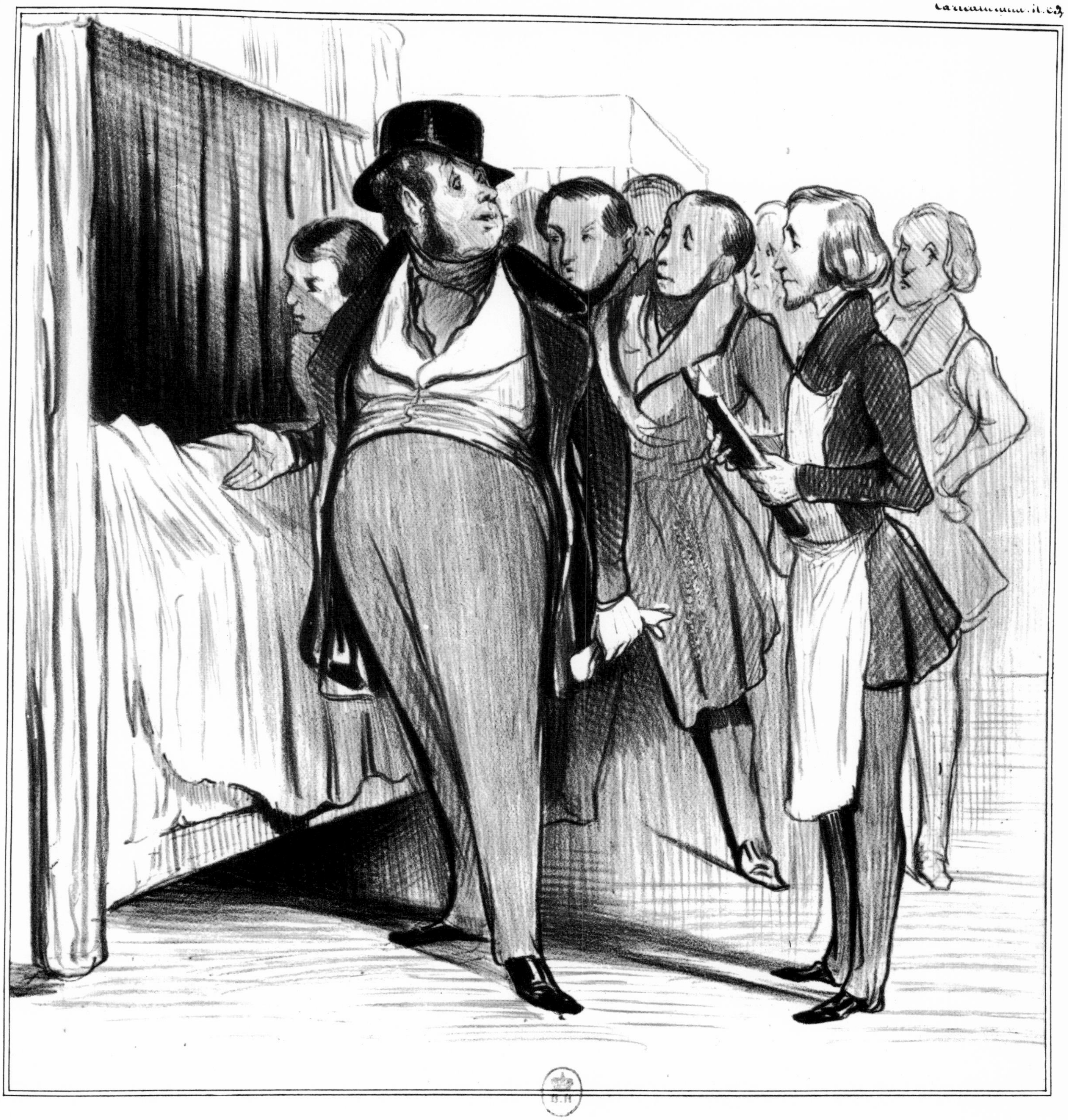

**Clinique du Docteur Robert-Macaire.**

*Hé bien! Messieurs, vous l'avez vû, cette opération qu'on disait impossible a parfaitement réussi... – Mais, monsieur, la malade est morte..... – Qu'importe! Elle serait bien plus morte sans l'opération.*

Robert Macaire médecin

Diable ! ne plaisantez pas avec cette maladie !...... Croyez moi, buvez de l'eau, beaucoup d'eau ! Frottez vous les os des jambes et revenez me voir souvent, ça ne vous ruinera pas mes consultations sont gratuites...
...... Vous me devez 20$^{f}$ pour ces deux bouteilles (On reprend le verre pour 10 centimes)

Le Début.

(Bertrand) Oh! non la malade est faible, elle succomberait....... l'opération devient impraticable...
(Robt Mac.) Impraticable!!!... il n'y a rien d'impraticable pour un débutant... Ecoute! nous sommes inconnus. Si nous échouons, nous restons dans l'obscurité, ça ne nous recule pas. Si par hasard nous réussissons..... C'est fini, nous sommes lancés, notre réputation est faite!... (Ensemble) Pratiquons! pratiquons.

(Donnez donc votre pratique à ces gaillards là.

Robert Macaire magnétiseur,

Voici un excellent sujet....... pour le magnétisme....... Certes! il n'y pas de commerage, je n'ai pas l'honneur de connaître Mlle de St Bertrand et vous allez voir Messieurs, l'effet du somnambulisme...

(Mlle de St Bertrand donne dans son sommeil des consultations sur les maladies de chacun, indique des trésors cachés sous terre et conseille de prendre des actions dans le papier Mozart, dans les mines d'or et dans une foule d'autres fort belles opérations.)

Caricaturana, 70.

Le public, mon cher, le public est stupide.... nous le saignons à blanc, nous le purgeons à mort, il n'est pas content .... il veut du nouveau... donnons lui en, morbleu, du nouveau! faisons nous homœopates.... Similia Similibus. —(Bertrand) Amen! — Tiens, voici une ordonnance qui résume le système: Prendre un pour petit grain de..... de rien du tout...... le couper en dix millions de mollicules... jeter une.... une seule! de ces dix millionnièmes parties dans la rivière..... remuer, remuer, trituter beaucoup..... laisser infuser quelques heures...... puiser un ocean de cette eau bienfaisante... la filtrer.... la couper avec 20 parties d'eau ordinaire et s'en humecter la langue tous les matins, a jeun..... Voila! — Est-ce tout? — Oui.... Ah! diable! j'oubliai le principal........ Payez la présente ordonnance.

**Robert-Macaire architecte.**

Comment, M.r Macaire, cette maison qui ne devait me coûter, d'après votre devis, que 70,000 f. va me revenir à plus de trois cent mille!... — Que voulez-vous, ce n'est pas ma faute, vous faites percer au midi une croisée que nous devions ouvrir au nord, vous ne voulez plus que quatre étages au lieu de cinq; nous devions couvrir en zinc, nous ne couvrons plus qu'en ardoise. Je ne puis répondre que de mon projet; vous le changez, ça vous regarde.

Caricaturana 77.

## L'artiste Robert Macaire

(Bertrand, au propriétaire) C'est un fameux peintre qui s'extasie sur la beauté de votre cheval et qui demande à en faire une étude...
(Le propriétaire congratulé) très bien! très bien!!
(Robert Macaire au propriétaire) quelle magnifique bête!! Oh! Monsieur, quelle magnifique tête vous avez!!... permettez donc que je complète mon étude en vous peignant à côté de votre magnifique cheval..... cela fera un tableau magnifique.
............ Un mois après, le propriétaire reçoit une croute vernissée, encadrée et accompagnée d'une demande de mille écus....... il refuse de payer ce qu'il n'a pas commandé; Robert Macaire le poursuit en justice....... il paye alors par crainte du scandale et l'artiste passe à une autre étude

Caricaturana N° 97.

Musique pyrothecnique, Charivarique et Diabolique.

Simple ménétrier de bastringue, Macaire a compris son époque. Nous ne vivons pas dans un temps d'harmonie, il faut du bruit beaucoup de bruit! c'est pourquoi Macaire fait des vers charabias, introduit les fusiès et les pistolets dans la symphonie et fait de la musique à coup de canon...... C'est plus ronflant et surtout plus facile!... Habitués des cabarets, cafés borgnes, ou de jardins. Chefs d'établissements coulés, directeurs de concerts en plein vent, propriétaires de jardins déserts, Macaire serait votre dieu s'il enfonçait Strauss et Musard comme il enfonce ses créanciers.

Baoumd! Baoumd! Pouff! Pouff!!! Pâââouffff!!!..

# *EXPLOITATION*
# *DES MEILLEURS SENTIMENTS*

Robert Macaire exploite les êtres humains pour lesquels comptent l'amour et l'amitié ainsi que l'affection.

N.° 45

Exploitation de l'amour.

Ô mon trésor ! Avec quel plaisir j'admire, je caresse le charmant portrait que tu m'as envoyé ! ........ Mais tu l'as fait orner de brillans, quelle folie ! Ne fais donc plus de ces choses là, tu me fais de la peine ...... Et cette chaine de montre, comme elle est belle ! Comme elle est riche !... ... Aussi, je veux à mon tour, t'offrir un présent qui te soit agréable, qui te rappelle notre amour, notre bonheur ..... Je veux te donner une mèche de mes cheveux ....

Un mariage d'argent.

Eh ! Quoi, Eloa !.. Vous m'avez trompé !.... Vous n'êtes pas la fille de votre père !.....
Son titre de comte n'est qu'un conte !... Vos châteaux sont des charges, votre immense fortune est une immense blague !!.......

Ô tempora ô mores !!

C'est à dire que je suis refait comme un simple jobard !

Le Chevalier des Adrets est l'amant d'une femme du monde, il est aimable, empressé, il joue la passion et le dévouement. . . . un jour, un huissier prétendu, une prétendue lettre de change tombent comme la foudre au milieu des plus tendres épanchemens. . . . . . . . .

*Ah ! mon dieu ! Le Baron de Wormspire, un ami, me faire jeter en prison. ! détruire mon bonheur ! m'enlever à ce que j'aime ! ô les amis, les amis !! . . . il n'y a donc plus d'amis !!! . . . . .*

La pauvre femme, la pauvre dupe, se dépouille de son or, de ses bijoux, donne tout ce qu'elle peut donner, emprunte, se ruine et reconnait trop tard que son chevalier n'est qu'un chevalier d'industrie, un vrai Robert Macaire.

Caricaturana N° 36

Dequoi! Dequoi! Votre dot?.... Est-ce qu'on l'a mangée, votre dot?.... On l'a perdue dans les opérations industrielles. Et puis d'ailleurs, est-ce que ça dure toujours une dot........ Je compte bien en avoir plusieurs..............

Caricaturana, N°61.

## La dot.

. . . . . Vous connaissez la fortune de mon fils, ayez la bonté de me dire quelle dot vous donnez à M^lle votre fille . . . — Ma fille est un trésor ! . . . — J'en suis persuadé, mais que lui . . . . — Elle vaut son pésant d'or . . . . . — Sans doute, mais que lui do . . . — Elle est riche de vertus . . . . — A merveille ! mais vous lui donnez ? . . — Je lui donne mon consentement, ma bénédiction et . . . . . la manière de s'en servir.

Le jeune homme, amoureux, épouse la fille, nourrit le beau père et maudit le mariage.

Mon dieu ! Monseigneur, je suis forcé de partir pour la campagne permettez que ma femme vous tienne compagnie........

# Un bon mari.

Total 27f.50c. C'est bien! vous porterez cette note à ma femme qui vous soldera. . . Est-il heureux ce gueux de macaire, sa femme paye ses dettes! . . . Oui, j'ai une excellente femme qui travaille comme un nègre, se prive de tout et me sacrifierait sa vie. . . une femme qui m'adore! aussi, je ne suis pas un ingrat, elle a déjà huit enfans je veux qu'elle en ait douze. . . . Bertrand, en v'la une heureuse!!!

Robert-Macaire agent matrimonial.

M.r Gobard, j'ai l'honneur de vous présenter M.e de S.t Bertrand veuve de la grande armée, jouissant d'une fortune très conséquente et M.lle Eloa de Wormspire fille du célèbre baron de Wormspire à qui le grand homme a légué 50 mille livres de rente sur le gros livre. Ces dames brûlent du désir de faire votre connaissance, je les ai invitées à dîner chez vous ce soir; vous nous mènerez à l'opéra et nous ferons une petite partie d'écarté...... M.r Gobard ces dames ont des projets sur vous tenez vous bien

Pieté Filiale.

.... Quel jour affreux. Messieurs, pour les actionnaires, les administrateurs, les directeurs, les gobloteurs de la société industrielle, que le jour où chacun s'abordait en s'écriant Madame la commandite se meurt.... madame la commandite est morte!.... hélas! il est vrai, cette mère généreuse est morte.... très morte!.... on ne peut pas plus morte!!.... saint Bérain! grand patron de la déconfiture, recois aux cieux l'ame de notre mère commune, elle fut comme toi, martyr des haines politiques. — Messieurs, une souscription par actions est ouverte chez moi pour l'érection d'un mausolée sur lequel on lira: A la mère des Roberz Macaire; Elle fut digne du Panthéon, elle mourut en faillite....

**Un homme sensible ...... à juste prix.**

Hélas ! Madame, vous avez eu le malheur de perdre Monsieur votre fils.... — Ah ! Monsieur....
— Que voulez vous, Madame, nous sommes tous mortels !.... C'était un homme bien honorable, M.r votre fils.... — Un enfant de quatre ans, si beau, si gentil !.... Mais, Monsieur, à qui donc ai-je l'honneur de parler ? — Madame je suis marbrier et je viens vous offrir un mausolée, j'en fais à tous prix et comme je sympathise vivement avec votre douleur, je serais bien aise de travailler pour vous, Madame !

(On le met à la porte.)

Oui, mon oncle, mon vertueux oncle, je fus dissipateur, joueur, débauché, j'eus bien des torts, en un mot, je fus léger : mais vous êtes malade, très malade, les médecins vous abandonnent ...... J'accours, je tombe à vos pieds, je jure : ..... tout ce que vous voudrez et je ne vous quitterai qu'à la mort, mon bon oncle, mon excellent oncle ! Embrassons-nous et que cela finisse.

Macaire, légataire universel, fait jeter son cher oncle dans la fosse commune.

Exploitation du Suicide.

Vous avez raison, ma tante, je suis un misérable, un mange tout, un propre-à-rien, je n'ai plus le sou, je vais me brrruler la cerrrvelle!! – Malheureux! que dis-tu? – Oui, je veux mourrrrir! . . . . . – Non! non! je payerai tes dettes, je te donnerai tout ce que j'ai, ne te tue pas! . . . – Ma tante, c'est pour vous obéir, car je suis bien las de la vie. . . . . . .

(Enfoncé la tante!)

Caricaturana. N°. 58.

Exploitation de l'amitié.

Mon cher Alphonse, j'ai invité ces messieurs (des amis) à déjeuner chez toi, Je veux leur faire gouter notre Champagne, nous rirons.... Tiens, une idée !! Si nous allions au bois? Nous prendrions ta calèche et tu nous prêterais quelques habits car nous sommes venus en voisins..... En attendant, fais nous donner des cartes et quelques napoléons pour tuer le temps, mon bon Alphonse, mon cher ami, excellent garçon va !

Caricaturana N.° 22.

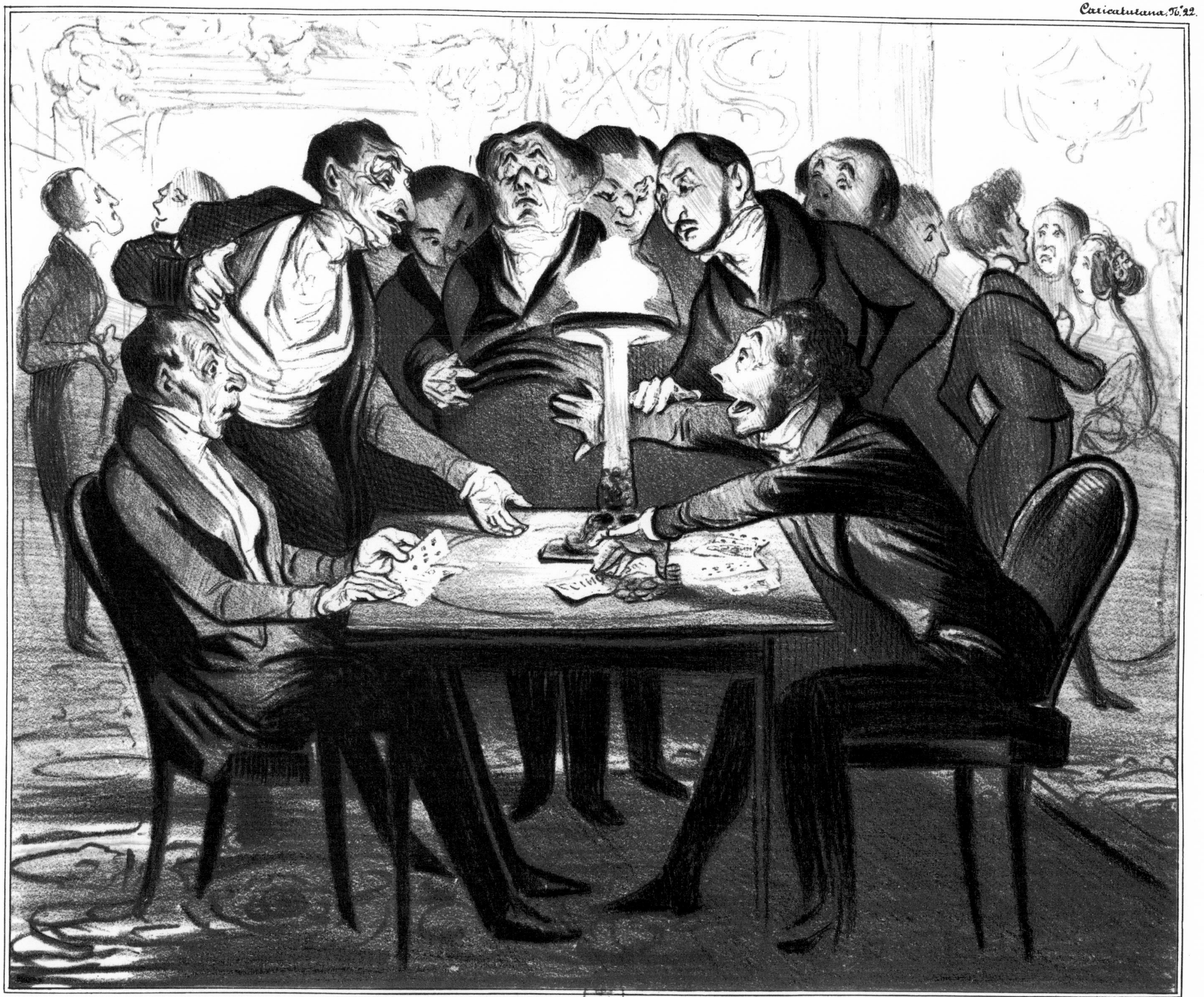

La part du Lion.

Doucement! Doucement, Messieurs! Nous avons cent louis; il m'en revient quatre-vingt dix huit à M.r le Comte de S.t Bertrand, restent deux et vous êtes quinze pour les réclamer........ C'est singulier ces éternelles réclamations!! Vraiment, on ne peut pas se tromper comme ça!..... Que diable, Messieurs, nous sommes tous d'honnêtes gens, arrangez vous, partagez vous ces deux louis, ne faisons pas de scandale!

# *ROBERT MACAIRE AU TRIBUNAL*

C'est ici que Robert Macaire trouve son véritable public au Palais de justice, et rencontre ses triomphes les plus remarquables. Daumier connaît bien ce milieu et ses habitués ; il l'a fréquenté dès sa jeunesse, et sortira de son expérience les *Gens de Justice* republiés par Sauret avec préface de Julien Cain.

La cour ordonne que le cheval et le cabriolet de Robert macaire seront vendus au profit du sieur Dindonneau jusqu'à concurrence de la somme de mille francs, montant de sa créance; faisant droit à la requête du sieur Bertrand, ordonne que les frais de fourrière du cheval et du cabriolet, liquidés à la somme de sept cents francs, seront prélevés ainsi que les frais du procès.

Conséquence.

– La vente produit sept cents francs, Bertrand les reçoit, Mr Dindonneau perd ses mille francs et ajoute cent écus pour les frais judiciaires.

Messieurs, voici la vérité, je suis un petit voleur, mais Mr. Macaire en est un grand...... J'ai chipotté, chipotaillé des riens, il a grinché, floué, agioté sur une grande échelle, j'ai gagné la misère et la police correctionnelle, il a gagné des millions, et il m'accuse!....

Le tribunal n'ayant pas à juger le grand voleur, condamne le petit, et Macaire se retire la tête haute.

Robert-Macaire devant ses juges.

Hé bien! Oui Messieurs, j'ai eu des malheurs en cour d'assise...... Mais le malheur est toujours respectable!.. D'ailleurs s'il est vrai, comme on l'a dit, que j'aie l'habitude des soustractions, je suis plus excusable qu'un autre puisqu'il m'est plus difficile de résister a mon penchant.......... Au reste, je suis accusé d'avoir vendu du plomb pour de l'or? Vingt témoins le soutiennent, hé bien! Je le nie quarante fois et puisque deux négations valent une affirmation, il est clair que vous.. ne pouvez pas me condamner.

Après cette brillante improvisation Robert-Macaire est condamné au maximum de la peine.

**Robert-Macaire avocat.**

Messieurs: L'acte dont on parle est évidemment nul, entaché de fraude et sans caractère de légalité.... (Le Président interrompant Me. Macaire.) Mais vous vous trompez, vous plaidez contre votre propre partie .... (Robert, à part.) Diable! Diable! C'est vrai, je m'enfonce .... (Haut.) Voilà, ce qu'on va sans doute vous dire.... Mais cet acte est bien certainement loyal, légal et parfaitement valable etc etc. etc.

(Il plaide cinq heures sans cracher et perd son procès.)

Caricaturana. N°. 23

Robert Macaire professeur d'industrie.

Exemple : Vous achetez un procédé nouveau, n'importe quoi, bon ou mauvais, vous l'achetez 600 f. — 500 f. — 25 francs, le moins possible ! Vous créez 500.000 f. d'actions, le plus possible ! Vous faites des annonces-monstres, des affiches-monstres, des promesses-monstres ; vous réalisez le capital, vous l'empochez, vous mettez ensuite la clé sur la porte, vous déposez votre bilan c'est-à-dire le le bilan de la société.......... Le tour est fait et vous passez à un autre

Robert-Macaire Avocat.

Mon cher Bertrand, donnes moi cent écus, je te fais acquitter d'emblée. — J'ai pas d'argent. — Hé bien donnes moi cent francs. — pas le sou. — tu n'as pas dix francs? — pas un liard! alors donnes moi tes bottes je plaiderai la circonstance atténuante.

# *ROBERT MACAIRE*
# *ET SON SOUCI D'ÊTRE CONSIDÉRÉ*

Robert Macaire désire être considéré. Il oublie ses anciens amis, on le voit installé confortablement sur les coussins de sa voiture, mais, peu sûr de lui malgré tout, il aime mieux quitter la terre « des arts et des briquets phosphoriques », sans doute pour la Belgique, refuge des spéculateurs en faillite.

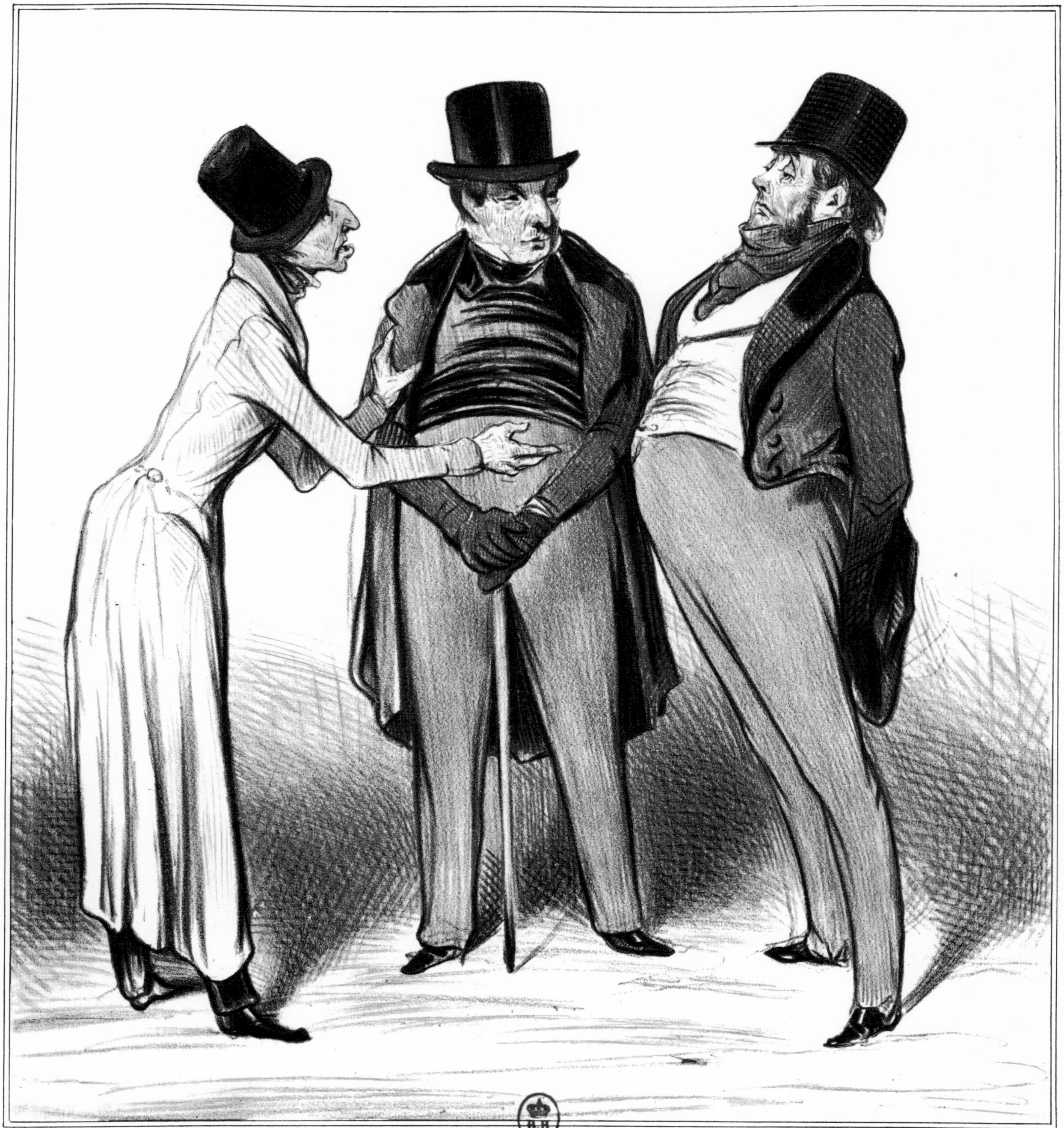

**Un candidat.**

Qui vous faut-il ?............ Un homme probe, consciencieux, un homme grave, un industriel, un homme qui n'ait pas besoin du gouvernement pour s'enrichir, un homme familiarisé avec les lois, qui les connaisse bien, par pratique, par une vieille pratique........ Une vieille pratique des lois.......... Vous ne pouvez mieux choisir, prenez mon..... prenez mon honorable ami.

Caricaturana N°

**La fortune fait oublier les amis.**

John ! Portez ces 500 f. à Mr. le Curé, pour les pauvres de la paroisse. Qu'on sache bien que c'est moi qui les donne. — Oui, Monsieur, le Comte........ J'oubliais de dire à Monsieur que cet homme est revenu. — Quel homme ? — Ce pauvre homme qui prétend être un ancien ami de Mr. le Comte, il s'appelle Bertrand... — Bertrand.... Bertrand ! Je ne connais pas ça. Dites toujours que je n'y suis pas.

*Que diable! Macaire, te voilà à la tête d'un bureau de charité, est-ce que tu vas tout garder pour toi? Ne donneras tu rien à ton pauvre Bertrand? — Pauvre! Dis tu? Toi qui vis avec rien, toi qui n'as pas d'habitudes de dépenses! Que suis-je donc moi, qui ne peux me passer de valets, de chevaux, de maitresses, de luxe enfin ...... Va, je suis le plus pauvre de mon arrondissement, l'argent des annonces me revient de droit.*

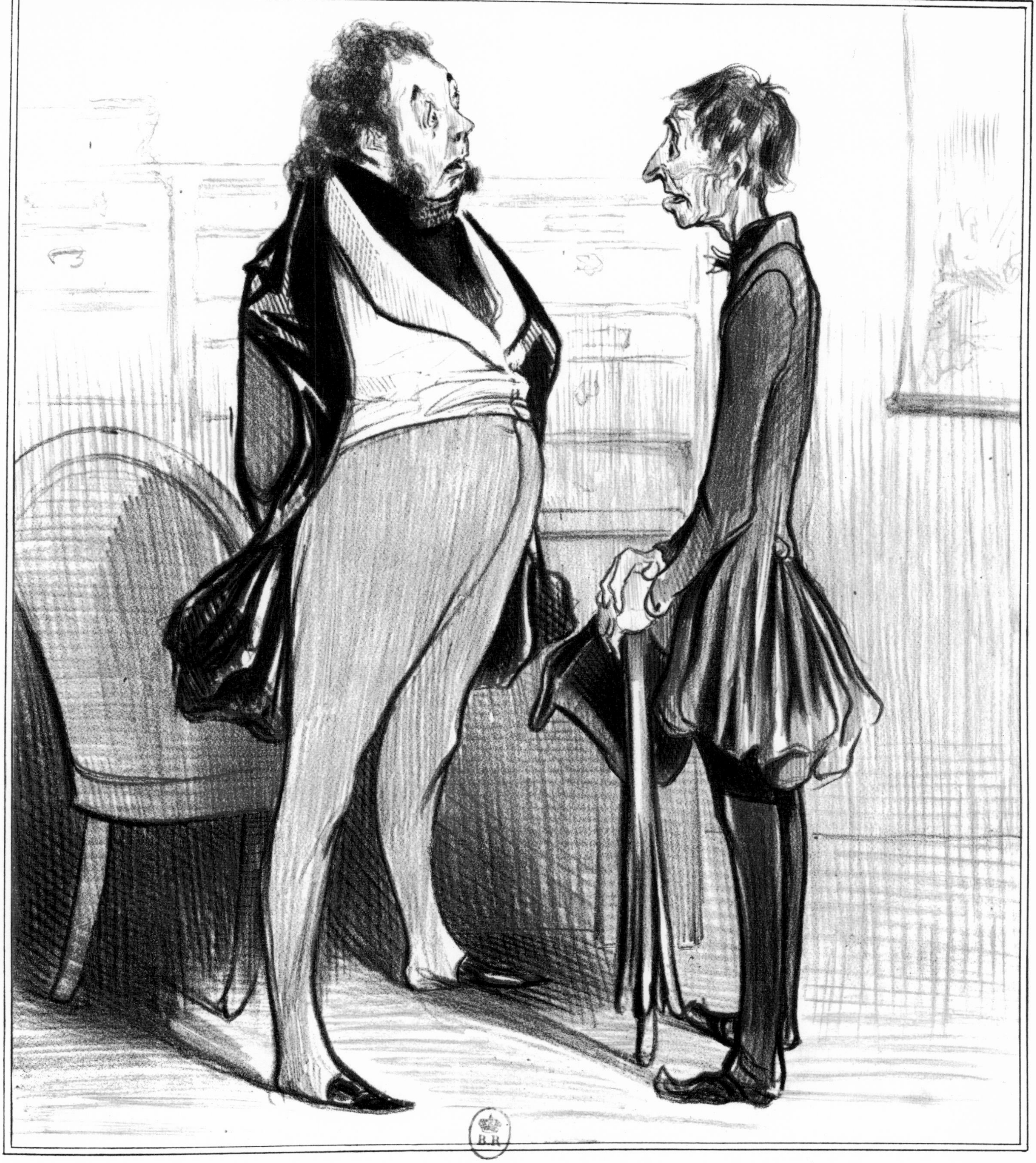

Monsieur Bertrand, la confiance de mes concitoyens m'a placé à la tête de cette administration, et je vous le dis à regret, quel que soit mon désir de vous être utile, je n'ose engager ma responsabilité; car vous ne pouvez vous le dissimuler, votre conduite a été jusqu'à ce jour un peu légère, vous avez fait parler de vous ........ L'administration ne doit compter que des hommes parfaitement irréprochables. Sans cela, où en serions nous, grand dieu!!!

Caricaturana, N.° 34.

Diable ! Respectons les convenances !

M.r M.me Durand, un homme taré, un parvenu, dont la fortune vient on ne sait d'où ..... Je ne puis pas accepter une invitation comme celle là; je ne puis pas m'encanailler ...... C'est impossible !

Bertrand – Dis donc, s'ils allaient nous faire un mauvais parti tous ces meurt-de-faim là ?... Robert Macaire – Qui, la populace ?... tu ne la connais pas, ça crie, ça gueule après les gens riches, comme les chiens après les mendians, mais ça ne mord pas...... c'est pas c'est pas méchant, c'est bête et v'là tout...... (Il crie très haut) hééé.... hopp !!.... garrre.... gare-gare !....

(Le peuple remarque avec attendrissement qu'il n'a écrasé personne et qu'il a l'air très bon enfant.)

Triomphe de la probité politique. Commerciale. Littéraire etc etc.......

(Très haut) Mes amis...... mes bons amis,...... vous me récompensez trop dignement de mes travaux...... vous me vengez noblement de mes cruels ennemis..... mes amis je suis confus....... (Bas) chaud! chaud!! Bertrand, pousse à la roue pousse ferme!

N° 92

A tous les cœurs bien nés que la patrie est chère !! ......

Adieu pays des arts et des briquets phosphoriques ..... Adieu terre ingrate qui chasse tes enfans, qui les exile, qui les persécute .... adieu !!! .. je porte ailleurs mes pénates mon industrie et mes capitaux ..... mais je te laisse mon cœur ..... prends garde de le perdre ......

# Notices

1\. — Monsieur Daumier, votre série des *Robert Macaire* est une chose charmante. — C'est la peinture exacte des voleurs de notre époque... L'estime des honnêtes gens vous est acquise... Vous n'avez pas encore la Croix d'honneur,... c'est révoltant.

L. Delteil 433, deuxième état sur quatre. *Caricaturana,* 78. Déposé le 31 janvier 1838. Paru dans *le Charivari* du 8 avril 1838.

Cette planche, bien que parue dans les toutes dernières de la série, nous a semblé devoir trouver une place en tête. Daumier, qui a exagéré dans le dessin son nez pointu, est félicité par Robert Macaire. Il est au travail, et des plâtres et un chevalet rappellent qu'il se considère comme peintre et sculpteur, tandis qu'en bas une pierre lithographique portant les initiales de la Maison Aubert et Cie, et le chiffre *40 000,* symbolise l'effort quotidien du dessinateur auquel, pendant quarante ans, chaque semaine, un crocheteur venait apporter sept pierres lithographiques à dessiner.

La Légion d'honneur n'a été attribuée à Daumier qu'en janvier 1870 ; il l'a refusée sans éclat, ce qui a fait dire à Courbet : « On ne fera jamais rien de Daumier, c'est un rêveur. »

2\. — Bertrand, j'adore l'industrie... — Oui, mais les gendarmes ? — Que tu es bête, Bertrand. Est-ce qu'on arrête un millionnaire ?

L. Delteil 354, cinq états. *Caricaturana,* 1. Déposé le 10 août 1836. Paru dans *le Charivari* du 20 août 1836.

Image parue la première. Philipon assure que les actions de la Banque Industrielle de Girardin, que celui-ci venait de lancer, se vendirent mal, en raison de la mise en garde que constituait ce dessin de Daumier.

3\. — Nous sommes actionnaires de l'Institut agricole... et d'une foule d'autres spéculations philanthropiques.

L. Delteil 370, six états, plus un non décrit entre le deuxième et le troisième. *Caricaturana,* 17. Déposé le 5 décembre 1836. Paru dans *le Charivari* du 11 décembre 1836.

Robert Macaire se recommande auprès du gendarme des opérations « philanthropiques » de Girardin, dont l'Institut agricole de Goetho. Dans cet Institut agricole installé dans le Morbihan, cent jeunes gens pauvres furent logés et entretenus gratuitement, l'argent nécessaire étant fourni par une contribution volontaire de 1 franc donnée par les abonnés du *Journal des Connaissances utiles*. La première année, cette sorte de souscription rapporta 46 000 francs; l'année suivante, l'enthousiasme baissa, et il y eut 14 000 francs de déficit. Girardin sollicita, et obtint du Gouvernement, un encouragement de 10 000 francs, mais l'opposition lui reprocha de « se vendre », et il dut se battre en duel contre un député.

4\. Robert Macaire au restaurant...

L. Delteil 372, deuxième état sur quatre. *Caricaturana,* 19. Déposé le 21 décembre 1836. Paru dans *le Charivari* du 28 décembre 1836,.

Le garçon aime mieux recevoir en paiement le chapeau défoncé de Bertrand que dix actions industrielles du journal *la Presse,* comme on voit sur le premier état, mais dans l'état publié les mots « *la Presse* » ne figurent pas, la censure s'y étant opposée.

5\. — Messieurs et Dames ! Les mines d'argent, les mines d'or, les mines de diamant ne sont que de la Pot-Bouille, de la ratatouille en comparaison de la houille.

L. Delteil 360, trois états. *Caricaturana,* 7. Déposé le 14 septembre 1836. Paru dans *le Charivari* du 30 septembre 1836.

Allusion aux mines de Saint-Bérain, lancées par Girardin, et peut-être aussi au Creusot, créé par Schneider en 1836.

Robert Macaire emprunte la voiture, l'allure et le style des derniers marchands d'orviétan.

Le texte du *Charivari* commentant cette planche signale une allusion à la nouvelle émission des 300 000 francs d'actions de *la Presse,* « annoncée dans un prospectus d'encre bleue (M. de Girardin en fait voir au public *de toutes les couleurs*). Depuis longtemps, nous n'avons plus d'indignation à faire contre les spéculations de M. de Girardin. Sous ce rapport, nous sommes complètement épuisés ».

6\. Robert Macaire philanthrope : « Vois-tu, Bertrand, nous faisons de la morale en action... »

L. Delteil 355, cinq états. *Caricaturana,* 2. Déposé le 18 août 1836. Paru dans *le Charivari* du 28 août 1836.

Huart commente cette planche en disant qu'en 1836 « tous les Français furent saisis d'un bel accès de philanthropie, s'étant émus du spectacle affligeant de 800 000 individus vivant mal » ; il s'émerveille de voir des affiches énormes, ces « trompettes des carrefours », qu'il faut « trois hommes et une échelle » pour coller au mur, et que les chiffonniers arrachent avec joie pour les mettre aux vieux papiers, car ils revendent ceux-ci au kilogramme.

7. — VOULEZ-VOUS DE L'OR, VOULEZ-VOUS DE L'ARGENT, VOULEZ-VOUS DES DIAMANTS... APPROCHEZ...

L. Delteil 436, seul état cité. *Caricaturana,* 81. Déposé le 12 avril 1838. Paru dans *le Charivari* du 20 mai 1838.

Au premier plan à droite, profil de Daumier.

Cf. *la Physiologie du Floueur* (1842, p. 45), où on lit : « par la grâce du prospectus et la toute-puissance de l'affiche,... les prospectus les plus ronflants, etc. ».

8. ROBERT MACAIRE RENAÎT DE SES CENDRES...

L. Delteil 376, second état sur trois. *Caricaturana,* 21. Déposé le 26 décembre 1836. Paru dans *le Charivari* du 15 (ou 8) janvier 1837.

Concerne les assurances contre l'incendie. Il n'y avait encore que cinq compagnies : les Assurances Générales, rue Richelieu (autorisées en 1819), le Phénix (autorisé aussi en 1819), la Compagnie Royale d'Assurances contre l'incendie, rue de Ménars (autorisée en 1820), l'Union (1829) et la Société d'Assurance matérielle (1829).

9. ROBERT MACAIRE SCHISMATIQUE.

— EN VÉRITÉ, EN VÉRITÉ, JE TE LE DIS... ON SE FAIT PAPE, ON OUVRE UNE BOUTIQUE, ON EMPRUNTE DES CHŒURS,... CE N'EST PAS PLUS DIFFICILE QUE ÇA.

L. Delteil 389, premier état sur deux. *Caricaturana,* 35. Déposé le 10 mars 1837. Paru dans *le Charivari* du 16 mars 1837.

« De 1830 à 1840, l'innovation sociale, philosophique et religieuse devint une manie, j'allais dire une mode. A l'estaminet, le soir, entre deux pots de bière, on balayait les cieux, et on introduisait des dieux nouveaux, avec le cortège obligé d'une religion nouvelle, d'une nouvelle morale, et surtout d'une distribution nouvelle de la fortune publique. Il ne fut pas un rapin, un littéraillon, un avocat sans cause, un étudiant sans diplôme qui n'ait revêtu la robe blanche des pontifes pour annoncer au monde la venue d'un messie » (Maxime du Camp, *Souvenirs*).

Il est probable que Philipon et Daumier pensent ici à l'abbé Châtel, créateur de l'Église Française de la rue de la Sourdière, qui considérait (avant Mickiewicz) Napoléon comme le Messie du XIXe siècle, et publiait en 1837 un *Discours sur le déisme ou la Véritable Religion.*

10. — CHAUD, CHAUD, BERTRAND, FAUT PENSER À LA VENTE,... ATTIRER L'ATTENTION DU JOBARD,... RÉPONDONS-NOUS, RÉPLIQUONS-NOUS, INJURIONS-NOUS ET SURTOUT AFFICHONS-NOUS.

L. Delteil 392, deuxième état. *Caricaturana,* 38. Déposé le 24 mars 1837. Paru dans *le Charivari* du 30 mars 1837.

11. EXPLOITATION DE LA PATERNITÉ...

L. Delteil 391, deuxième état sur deux. *Caricaturana,* 37. Déposé le 20 mars 1837. Paru dans *le Charivari* du 26 mars 1837.

12. ABUS DE L'ARTICLE 24 DU CODE CIVIL.

L. Delteil 405, deuxième état sur trois. *Caricaturana,* 50. Déposé le 5 mai 1837. Paru le 28 mai 1837.

13. ROBERT MACAIRE, MENDIANT DISTINGUÉ...

L. Delteil 380, premier état sur deux. *Caricaturana,* 25. Déposé le 31 janvier 1837. Paru dans *le Charivari* du 12 février 1837.

Ce « mendiant distingué » appartient à la catégorie d'escrocs que Vidocq appelle « les donneurs de bonjour » ou les « bonjouriens » (chap. XXXIX). « Rien de plus aimable, de plus avenant que la physionomie d'un *bonjourien ;* pour eux, il a le sourire sur les lèvres... Un bonjourien est toujours mis avec élégance, chaussé avec la plus grande légèreté. »

14. — MONSIEUR, VOUS AVEZ EU L'INFAMIE DE ME FAIRE DEMANDER L'ARGENT QUE JE VOUS DEVAIS...

L. Delteil 409, deuxième état (avec la faute *humilliez*) sur trois. *Caricaturana,* 54. Déposé le 26 mai 1837. Paru dans *le Charivari* du 25 juin 1837.

15. BUREAU DE REMPLACEMENTS MILITAIRES...

L. Delteil 382. *Caricaturana,* 28. Déposé le 10 février 1837. Paru dans *le Charivari* du 20 février 1837.

Depuis que la Révolution et l'Empire avaient créé la conscription, des sociétés d'assurances fournissaient à la bourgeoisie des remplaçants. En 1836 (3 octobre), était créée l'Étoile, « assurance contre les chances de recrutement pour les familles aisées ».

Robert Macaire fait observer qu'il peut fournir un remplaçant aux armées à ceux de ses souscripteurs qui, par leur numéro, seront appelés sous les drapeaux, qu'il en coûtera 1 500 francs au lieu des 310 francs ou 945 francs qu'on demandait d'habitude, mais que le remplaçant (Bertrand) sera excellent.

16. BREVET D'INVENTION, CAPITAL 3 MILLIONS...

L. Delteil 442, premier état sur deux. *Caricaturana,* 87. Déposé le 29 juin 1838. Paru dans *le Charivari* du 19 août 1838.

Robert Macaire choisit le paysan Godichard comme gérant d'une société de bitume : « Vous n'aurez qu'à boire, manger, dormir et signer... »

Type dont les brasseurs d'affaires faisaient alors grande consommation, et dont Balzac fait le Claparon de *César Birotteau :* « Un de ces mannequins vivants nommés dans la langue commerciale *hommes de paille.* »

17. ROBERT MACAIRE : « JE NE VOIS PAS CE QU'ON PEUT TROUVER D'AMUSANT À TOUTES CES BÊTISES-LÀ... »

L. Delteil 419, deuxième état sur trois. *Caricaturana,* 64. Déposé le 25 septembre 1837. Paru dans *le Charivari* du 22 octobre 1837.

Robert Macaire et Bertrand sont étonnés de se trouver représentés par Daumier, et de voir un public nombreux regarder leurs images à la vitrine du marchand d'images Aubert.

18. — C'EST TOUT DE MÊME FLATTEUR D'AVOIR FAIT TANT D'ÉLÈVES...

L. Delteil 431, deuxième état sur trois (dans le troisième, les inscriptions sur le mur du fond sont effacées). *Caricaturana,* 76. Déposé le 30 janvier 1838. Paru dans *le Charivari* du 11 mars 1838.

Variante du mot qu'on trouve souvent alors dans *le Charivari :* « Robert Macaire est partout. »

19. ROBERT MACAIRE BOURSIER...

L. Delteil 383, deuxième état sur deux. *Caricaturana,* 29. Déposé le 16 février 1837. Paru dans *le Charivari* du 26 février 1837.

Devant la Bourse, figurent encore quatre statues que Daumier montre plusieurs fois avec ironie : la Justice, la Fortune, l'Abondance, la Prudence.

20. L'AGENT DE CHANGE APRÈS LA BOURSE...

L. Delteil 402, premier état sur trois. *Caricaturana,* 47. Déposé le 2 mai 1837. Paru dans *le Charivari* du 14 mai 1837.

Dans *les Français peints par eux-mêmes* (1840 II, 36) on nous dit que l'agent de change « pose à l'homme du monde », qu'il est élégant, mais avec « une allure un peu débraillée ».

21. Robert Macaire banquier et juré : « La nouvelle ne peut être connue à Bordeaux, prends la poste, crève les chevaux... »

L. Delteil 371, premier état sur deux. *Caricaturana,* 18. Déposé le 7 décembre 1836. Paru dans *le Charivari* du 18 décembre 1836.

A comparer avec le billet de M. Leuwen à son fils Lucien : « Courez à la Bourse, entrez vous-même, arrêtez toute l'opération, coupez net. Faites revendre, même à perte, et, cela fait, venez bien vite me parler. »

Huart fait allusion au « puff que le code qualifie impoliment de banqueroute frauduleuse ».

22. Robert Macaire agent d'affaires...

L. Delteil 393, premier état sur deux. *Caricaturana,* 39. Déposé le 31 mars 1837. Paru dans *le Charivari* du 2 avril 1837.

Voir dans *les Français peints par eux-mêmes* (1840, II, 133) : « les agents d'affaires ».

23. Un bon arrangement... Pauvre tailleur ! ! !

L. Delteil 407. *Caricaturana,* 52. Déposé le 19 mai 1837. Paru dans *le Charivari* du 11 juin 1837.

A l'époque romantique, le tailleur était rarement payé par les élégants : selon Huart, c'est une corporation qui a pris, depuis sa fondation, la déplorable coutume de travailler à crédit. Balzac, qui le savait bien, écrivait à sa mère qu'il ne fallait rien payer à son tailleur, « *il s'habituerait* ». En effet, son tailleur Buisson, à qui, depuis 1830, il devait des sommes de plus en plus fortes, notamment pour ses « robes de chambre en cochemille », s'estimait heureux d'être cité dans *Eugénie Grandet* et *le Cabinet des Antiques,* et même il hospitalisait le romancier et lui prêtait de l'argent.

24. Robert Macaire libraire...

L. Delteil 367, premier état sur deux. *Caricaturana,* 14. Déposé le 12 novembre 1836. Paru dans *le Charivari* du 26 novembre 1836.

Dans son *Flâneur* (1842, p. 106), Philipon parle d'un certain B. [Girardin], « inventeur des primes en loterie, des bénéfices anticipés, de la Société des vocabulaires, de celle des médailles, et de *l'Univers littéraire* ». Reclus assure que c'est en 1833, pour lancer le *Musée des Familles,* que Girardin créa la Société d'affichage, et fut surnommé l'homme-affiche et l'homme-annonce, mais ces hommes-sandwiches figurent déjà quelques années avant sur une lithographie de Marlet.

25. Robert Macaire dictant : Monsieur, en réponse à la lettre...

L. Delteil 437, deuxième état sur trois. *Caricaturana,* 82. Déposé le 18 avril 1838. Paru dans *le Charivari* du 1er juillet 1838.

26. Messieurs les actionnaires. — [Robert Macaire écoute Bertrand rendre compte du déficit]...

L. Delteil 406, premier état sur trois. *Caricaturana,* 51. Déposé le 6 mai 1837. Paru dans *le Charivari* du 4 juin 1837.

« Oui, M. l'actionnaire, nous vous donnons une place. Ne vous plaignez pas, vous serez en belle compagnie. Vous avez longtemps joué le rôle de dupe; et comme à ce jeu on finit souvent par devenir autre chose, vous êtes devenu, sinon malin, du moins malicieux » (*Physiologie du flâneur,* de Philipon, p. 99).

27. L'assemblée d'actionnaires... [Robert Macaire rend compte de l'échec d'un journal monarchique qu'il est chargé de diriger.]

L. Delteil 433, deuxième état sur quatre. *Caricaturana,* 78. Déposé le 29 août 1837. Paru dans *le Charivari* du 8 avril 1838.

Pense-t-il à *la Charge,* éphémère journal de caricatures, créé par la droite pour faire concurrence au *Charivari ?*

D'ailleurs, « l'année 1837 fut pluvieuse, Paris fut inondé de torrents de pluie et d'averses de prospectus » (Huart).

28. Grand placement d'actions...

L. Delteil 432, deuxième état sur deux. *Caricaturana,* 68. Déposé le 15 novembre 1837. Paru dans *le Charivari* du 3 décembre 1837.

29. Robert Macaire actionnaire...

L. Delteil 435, deuxième état sur deux. *Caricaturana,* 80. Déposé le 11 avril 1838. Paru dans *le Charivari* du 13 mai 1838.

Les dividendes ont été distribués trop tôt. *Le Charivari* du 27 avril 1836 et celui du 11 mai publient des plaisanteries sur ce sujet, comme « grande répartition de dividendes anticipés pour l'exploitation du public » (par une fabrique de mort-aux-rats).

Dans le numéro du *Charivari* où paraît la pièce, une petite note précise qu'il faut voir ici le « résurrectionist des journaux », et, en effet, le public commençait à s'inquiéter de voir diminuer sérieusement le dividende des actionnaires du *Musée des Familles,* journal de Girardin dont le déficit atteint alors plus de 16 000 francs, et où on s'apercevra en novembre 1837 et en février 1838 que les gérants se sont attribué une part énorme. Un procès fut intenté à Girardin, qui le gagna le 27 mars 1838.

30. Une mine d'or qui dort...

L. Delteil 428, premier état sur deux. *Caricaturana,* 73. Déposé le 10 janvier 1838. Paru dans *le Charivari* du 21 janvier 1838.

A la même époque, Balzac est séduit par l'exploitation des scories des mines argentifères de Sardaigne abandonnées après le traitement par les Romains. Il fait un voyage en Sardaigne en mars 1838, mais des spéculateurs plus heureux obtiennent avant lui les concessions nécessaires. L'affaire était bonne; ces mines sont encore exploitées par les Sociétés des Mines de la Nurra et de Domus Novas (cf. *Balzac, homme d'affaires,* par R. Bouvier). Les amis de Balzac qui n'ont pas voulu l'aider à trouver rapidement des capitaux, comme la famille Béchet, conservent encore quelques scories qu'il leur avait envoyées pour les décider.

31. Cabriolets en actions...

L. Delteil 378, deuxième état sur deux. *Caricaturana,* 24. Déposé le 31 janvier 1837. Paru dans *le Charivari* du 6 février 1837.

32. Robert Macaire agent d'affaires...

L. Delteil 366, premier état sur quatre. *Caricaturana,* 13. Paru dans *le Charivari* du 20 novembre 1836.

33. — Une autre fois, je fis encore un bon tour, j'avais créé une société... pour l'exploitation des tiges de bottes...

L. Delteil 453, deuxième état sur deux. *Caricaturana,* 98. Déposé le 3 novembre 1838. Paru dans *le Charivari* du 19 novembre 1838.

34. Robert Macaire avoué...

L. Delteil 363, deuxième état sur trois. *Caricaturana,* 10. Déposé le 3 octobre 1836. Paru dans *le Charivari* du 30 octobre 1836.

Delteil signale une contrefaçon publiée à Lyon et imprimée par Brunet.

Huart explique qu'un avoué achète sa charge 200 000 francs : « Il donne 32 francs et promet le reste avec la dot de sa femme. »

35. Robert Macaire notaire...

L. Delteil 358, troisième état sur trois. *Caricaturana,* 5. Déposé en juillet 1836. Paru dans *le Charivari* du 28 septembre 1836.

« Qu'il est beau, lorsque, mollement étendu sur un fauteuil à la Voltaire, il lit voluptueusement le prospectus d'une entreprise étourdissante » (*Le spéculateur* dans *les Français peints par eux-mêmes,* I, 302).

Notaires et avoués, que Daumier connaissait bien puisque, dans sa jeunesse (1820), il a été « saute-ruisseau », recevaient leurs clients en robe de chambre. Altaroche décrit un avoué dans un riche cabinet : « La robe de chambre et les pantoufles sont deux accessoires indispensables à la mise en scène d'une étude d'avoué à Paris » (*les Français*...). Plus tard, Mme Bovary sera reçue par le notaire, Me Guillaumin, dans le même costume : « Le notaire entra, serrant du bras gauche, contre son corps, sa robe de chambre à palmes. »

36. Robert Macaire journaliste... [et homme d'affaires].

L. Delteil 356, deuxième état sur deux. *Caricaturana,* 3. Déposé le 18 août 1836. Paru dans *le Charivari* du 10 septembre 1836.

Il invente, dit *le Charivari :* « Le journal à bon marché (pour lui) ».

La robe de chambre et le fauteuil ou le canapé sont les attributs de l'homme d'affaires douteux qui a réussi. On les retrouve encore dans le portrait du redoutable Chevassat, héros de *la Clique dorée* de Gaboriau : « J'entre dans un appartement superbe, et je trouve le brigand en robe de chambre, étendu sur un canapé.... Il étalait devant moi des tas de louis d'or. »

37. [Robert Macaire directeur d'un bureau de renseignements.] — Monsieur, on m'a volé un billet de 100. — Très bien, Madame, le voleur est un de mes amis...

L. Delteil 364, deuxième état sur deux. *Caricaturana,* 11. Déposé le 17 octobre 1836. Paru dans *le Charivari* du 6 novembre 1836.

38. A toutes les personnes qui ont des capitaux à perdre...

L. Delteil 373, deuxième état sur deux. *Caricaturana,* 20. Déposé le 26 décembre 1836. Paru dans *le Charivari* du 1er janvier 1837.

Bertrand riant, à droite, est une des figures qui ont fasciné Daumier, il s'en resservira pour nous montrer des faunes.

Delteil cite et donne une « reproduction littérale ».

39. — Vous êtes banquiers...

L. Delteil 440, deuxième état sur trois. *Caricaturana,* 85. Déposé le 15 juin 1838. Paru dans *le Charivari* du 9 juillet 1838.

Comme le dit Stendhal (*Lucien Leuwen*) : depuis 1830 « la banque est à la tête de l'État. La bourgeoisie a remplacé le faubourg Saint-Germain, et la banque est la noblesse de la classe bourgeoise ».

40. — Monsieur, Monsieur, m'offrir 500 francs...

L. Delteil 411, troisième état sur trois. *Caricaturana,* 56. Déposé le 8 août 1837. Paru dans *le Charivari* du 13 août 1837.

On pourrait citer en pendant le mot de *la Physiologie du flâneur* (p. 64) : « Je ne puis accepter 1 000 francs, j'y perdrais trop. — Et moi aussi, répliqua le chanteur Duprez, en remettant le billet dans sa poche. »

41. — Entendons-nous bien... [bitume luminescent].

L. Delteil 438. *Caricaturana,* 83. Déposé le 8 mai 1838. Paru dans *le Charivari* du 10 juin 1838.

Simond cite une image du temps montrant une vaste chaudière où des pavés bouillent dans le bitume, avec pour légende : « C'est donc comme les z'haricots de la caserne, tant pus qu'ca cuit, tant pus qu'c'est dur. »

Il rappelle que l'emploi du bitume pour les pavements est alors tout récent, et qu'en 1838 on a asphalté les boulevards de la rive gauche.

Huart le confirmait déjà : « Le bitume en 1838 était devenu une mode, une idée fixe, une puissance. En un jour... toutes les rues et toutes les places de Paris furent envahies par une armée de noirs marmitons... »

42. — Dis donc, Macaire...

L. Delteil 435, deuxième état sur deux. *Caricaturana,* 80. Déposé le 11 avril 1838. Paru dans *le Charivari* du 13 mai 1838.

Voir le précédent, se rapporte aussi au bithume.

43. — Robert Macaire directeur d'un journal industriel.

L. Delteil 446, deuxième état sur trois. *Caricaturana,* 91. Déposé le 8 septembre 1838. Paru dans *le Charivari* du 30 septembre 1838.

« Tout Paris connaît (*Physiologie du floueur,* par Philipon, 1842, p. 51) un faiseur dont la fortune s'éleva en un an au chiffre de 600 000 francs grâce à l'appui que prêtait aux sociétés en commandite un journal industriel qu'il avait créé dans ce but. »

44. — Oui, Monsieur, moyennant un petit abonnement !...

L. Delteil 450, deuxième état sur deux. *Caricaturana,* 95. Déposé le 2 octobre 1838. Paru dans *le Charivari* du 4 novembre 1838.

45. Robert Macaire journaliste...

L. Delteil 387, deuxième état sur deux. *Caricaturana,* 33. Déposé le 28 février 1837. Paru dans *le Charivari* du 9 mars 1837.

46. — Tu vas porter cette note aux journaux...

L. Delteil 421, deuxième état sur trois. *Caricaturana,* 66. Déposé le 30 octobre 1837. Paru dans *le Charivari* du 5 novembre 1837.

47. Robert Macaire négociant...

L. Delteil 381, deuxième état sur deux. *Caricaturana,* 27. Déposé le 13 février 1837. Paru dans *le Charivari* du 24 février 1837.

Robert Macaire parle à son *tigre,* personnage familier de *la Comédie humaine* qu'on voit dans *la Maison Nucingen,* petit Irlandais de trois pieds de haut, « aimant les confitures, volant le punch, insulteur comme un feuilleton, hardi et chipeur comme un bourgeois de Paris ».

48. Robert Macaire commissionnaire...

L. Delteil 439, deuxième état sur deux. *Caricaturana,* 84. Déposé le 11 juin 1838. Paru dans *le Charivari* du 22 juin 1838.

49. — Laissez venir à moi les petits enfants...

L. Delteil 448, premier état sur deux. *Caricaturana,* 93. Déposé le 2 octobre 1838. Paru dans *le Charivari* du 14 octobre 1838.

50. Robert Macaire escompteur...

L. Delteil 357, premier état sur trois. *Caricaturana,* 4. Déposé le 25 août 1836. Paru dans *le Charivari* du 27 septembre 1836.

« Quiconque a présenté ses effets d'escompte sait qu'outre les six pour cent dus légalement l'escompteur prélève, sous l'humble nom de commission, un tant pour cent qui représente les intérêts, que lui donne, au-dessus du taux légal, le génie avec lequel il fait valoir ses fonds. Plus il peut gagner d'argent, plus il vous en demande » (Balzac, *les Souffrances de l'inventeur*). « Allusion à des procès récents »; allusion à deux entreprises de Girardin, *le Journal des Connaissances utiles* et le *Physionotype*.

51. Robert Macaire commis-voyageur... [en vin de Bordeaux].

L. Delteil 368, premier état sur deux. *Caricaturana,* 15. Déposé le 17 novembre 1836. Paru dans *le Charivari* du 2 décembre 1836.

52. Robert Macaire spéculateur dramatique.

L. Delteil 401. *Caricaturana,* 46. Déposé le 2 mai 1837. Paru dans *le Charivari* du 7 mai 1837.

53. Robert Macaire acteur capricieux. Recette pour guérir la colique...

L. Delteil 427, deuxième état sur trois. *Caricaturana,* 72. Déposé le 4 janvier 1838. Paru dans *le Charivari* du 14 janvier 1838.

54. M. de Robert-Macaire restaurateur...

L. Delteil 365, deuxième état sur trois. *Caricaturana,* 12. Déposé le 22 octobre 1836. Paru dans *le Charivari* du 13 novembre 1836.

55. Pensionnat Robert Macaire...

L. Delteil 397, deuxième état sur trois. *Caricaturana,* 42. Déposé le 10 avril 1837. Paru dans *le Charivari* du 16 avril 1837.

56. Préparateur au baccalauréat...

L. Delteil 422, seul état cité par Delteil. *Caricaturana,* 67. Déposé le 7 novembre 1837. Paru dans le *Charivari* du 20 novembre 1837.

57. Un propriétaire...

L. Delteil 404, deuxième état sur deux. *Caricaturana,* 49. Déposé le 5 mai 1837. Paru dans *le Charivari* du 26 mai 1837.

58. — Vous ne rougissez pas, vous, un propriétaire, de demander de l'argent à un pauvre diable de locataire...

L. Delteil 426, seul état cité par Delteil. *Caricaturana,* 71. Déposé le 20 décembre 1837. Paru dans *le Charivari* du 31 décembre 1837.

59. Robert Macaire marchand de Bibles...

L. Delteil 444, deuxième état sur trois. *Caricaturana,* 89. Déposé le 28 août 1838. Paru dans *le Charivari* du 13 septembre 1838.

60. [Robert Macaire parfumeur.] — Monsieur, je méprise le charlatanisme de l'affiche, je méprise les pufs de l'annonce.

L. Delteil 447, premier état sur deux. *Caricaturana,* 71. Déposé le 25 décembre 1837. Paru dans *le Charivari* du 31 décembre 1837.

Les parfums qu'on voit dans les boîtes du fond ne figurent pas dans les listes du *Manuel du parfumeur* de M^me^ Celnart, nouvelle édition, 1834. Le manuel déplore que « la routine et le charlatanisme ont naguère dirigé cette agréable industrie si exclusivement que beaucoup de femmes sensées (en province surtout) gardent une forte prévention contre la parfumerie ».

61. [Robert Macaire épicier.] — Fais bien attention ! ! Si l'on te demande du Rachaout des Arabes...

L. Delteil 424, premier état sur trois. *Caricaturana,* 69. Déposé le 15 novembre 1837. Paru dans *le Charivari* du 17 décembre 1837.

« Voici le rachaout des Arabes, admirable préparation dont, jusqu'à ce jour, les orientaux avaient enfoui le secret avec cette félonie qu'ils apportent en toutes choses. Nous en devons la confidence à une de nos compatriotes qui fut longtemps sultane favorite du Grand Seigneur... Il convient aux tempéraments lymphatiques, aux tempéraments sanguins » (J. Rousseau, *Physiologie du Robert Macaire,* p. 70). « Voici maintenant le Kaiffer d'Orient, le nafé d'Arabie, l'osman Iglou. Avec cela, plus de valétudinaires » (*ibid.*).

62. Robert Macaire apothicaire et pharmacien...

L. Delteil 408, deuxième état sur trois. *Caricaturana,* 53. Déposé le 25 mai 1837. Paru dans *le Charivari* du 18 juin 1837.

63. Un oculiste breveté...

L. Delteil 410, deuxième état sur deux. *Caricaturana,* 55. Déposé le 19 juin 1837. Paru dans *le Charivari* du 2 juillet 1837.

64. Robert Macaire dentiste...

L. Delteil 412, seul état cité par Delteil. *Caricaturana,* 57. Déposé le 19 juin 1837. Paru dans *le Charivari* du 9 juillet 1837.

65. Clinique du Docteur Robert Macaire...

L. Delteil 418, seul état cité par Delteil. *Caricaturana,* 63. Déposé le 30 août 1837. Paru dans *le Charivari* du 15 octobre 1837.

66. [Robert Macaire médecin.] — Diable, ne plaisantez pas...

L. Delteil 361, premier état sur trois. *Caricaturana,* 8. Déposé le 27 septembre 1836. Paru dans *le Charivari* du 16 octobre 1836.

Le texte du journal dit que, « malheureusement pour les contribuables, il en est du bon marché des Robert Macaire politiques comme du gratuit des Robert Macaire médecins »; nouvelle allusion le 21 octobre, avec histoire d'un médecin industriel et banquiste.

Composition très proche du numéro 50.

67. Le début... Il n'y a rien d'impraticable pour un débutant [médecin].

L. Delteil 430, deuxième état sur deux. *Caricaturana,* 75. Déposé le 30 janvier 1838. Paru dans *le Charivari* du 6 mars 1838.

68. Robert Macaire magnétiseur...

L. Delteil 443, deuxième état sur deux. *Caricaturana,* 88. Déposé le 21 juillet 1838. Paru dans *le Charivari* du 26 août 1838.

En 1834 avait paru le *Cours de magnétisme animal* de Du Potet.

69. [Robert Macaire homéopathe.] — Le public, mon cher, le public est stupide...

L. Delteil 425, premier état sur deux. *Caricaturana,* 70. Déposé le 21 décembre 1837. Paru dans *le Charivari* du 24 décembre 1837.

Le docteur Hahnemann, créateur de l'homéopathie, s'était installé à Paris en 1834 pour « accélérer la propagation de la doctrine dans l'univers »; sa clientèle l'occupait douze heures par jour. Son élève, le docteur S. des Guidi, pratiquait avec succès à Lyon, et son autre élève Bigel avait reçu en 1836 la Légion d'honneur, « la sagesse du roi venant de décorer en lui l'homéopathie ».

70. Robert Macaire architecte...

L. Delteil 395. *Caricaturana,* 41. Déposé le 6 avril 1837. Paru dans *le Charivari* du 9 avril 1837.

Delteil cite et reproduit une copie en sens inverse qu'un accident arrivé à la planche aurait amené à utiliser.

71. L'artiste Robert Macaire...

L. Delteil 432, premier état sur deux. *Caricaturana,* 77. Déposé le 13 mars 1838. Paru dans *le Charivari* du 26 mars 1838.

72. Musique pyrotechnique... [Robert Macaire chef d'orchestre...]

L. Delteil 452, deuxième état sur quatre. *Caricaturana,* 97. Déposé le 2 novembre 1838. Paru dans *le Charivari* du 11 novembre 1838.

N'y a-t-il pas ici une allusion au « cataclysme musical » constitué par le *Requiem* de Berlioz, contemporain de cette image ?

73. Exploitation de l'amour...

L. Delteil 400, deuxième état sur deux. *Caricaturana,* 45. Déposé le 19 avril 1837. Paru dans *le Charivari* du 3 mai 1837.

74. Un mariage d'argent...

L. Delteil 380, premier état sur deux. *Caricaturana,* 26. Déposé le 10 janvier 1837. Paru dans *le Charivari* du 19 janvier 1837.

Cette discussion entre deux époux fait penser au dialogue de Du Tillet et de sa femme : « Où avez-vous pris cet argent, Madame ? dit le banquier en jetant sur sa femme un regard qui la fit rougir jusqu'à la racine de ses cheveux. — Je ne sais ce que signifie cette question... »

75. Le Chevalier des Adrets est l'amant d'une femme du monde...

L. Delteil 429, deuxième état sur trois. *Caricaturana,* 74. Déposé le 30 janvier 1838. Paru dans *le Charivari* du 19 février 1838.

76. — De quoi, de quoi, votre dot ?...

L. Delteil 390, troisième état sur trois. *Caricaturana,* 36. Déposé le 10 mars 1837. Paru dans *le Charivari* du 19 mars 1837.

77. — La dot... Ma fille est un trésor...

L. Delteil 416, deuxième état sur deux. *Caricaturana,* 61. Déposé le 30 août 1837. Paru dans *le Charivari* du 10 septembre 1837.

78. Robert Macaire mari complaisant... — « Mon Dieu, Monseigneur, je suis forcé de partir... »

L. Delteil 394, deuxième état sur deux. *Caricaturana,* 40. Déposé le 3 avril 1837. Paru dans *le Charivari* du 6 avril 1837.

Selon Huart, Robert Macaire fut convaincu de la nécessité d'une grande complaisance par une couverture du *Musée des Familles,* montrant le Madagascarien offrant sa femme à un étranger.

79. Un bon mari... « Vous porterez cette note à ma femme... »

L. Delteil 420, deuxième état sur trois. *Caricaturana,* 65. Déposé le 28 septembre 1837. Paru dans *le Charivari* du 29 octobre 1837.

80. Robert Macaire agent matrimonial...

L. Delteil 369, premier état sur deux. *Caricaturana,* 16. Déposé le 21 novembre 1836. Paru dans *le Charivari* du 4 décembre 1836.

« Le texte placé au bas des Robert Macairiades par notre père lithographique Ponpon nous dispense ordinairement de toute explication », mais *le Charivari* tient à préciser, (pourquoi ?, que c'est Bertrand qui est déguisé en mère noble.

Philipon connaissait bien cette pratique matrimoniale, et son journal donnait souvent les deux annonces suivantes : « Mariages, onze ans de spécialité, ancienne maison Foy et Cie, rue Bergère » et « Madame Saint-Marc, rue Cadet, 18. Elle a en ce moment plusieurs dames veuves et demoiselles riches à marier ».

81. Piété filiale... à la mère de Robert Macaire...

L. Delteil 455, deuxième état sur deux. *Caricaturana,* 100. Déposé le 23 novembre 1838. Paru dans *le Charivari* du 25 novembre 1838.

82. Un homme sensible... A juste prix...

L. Delteil 398, premier état sur deux. *Caricaturana,* 43. Déposé le 11 avril 1837. Paru dans *le Charivari* du 21 avril 1837.

Robert Macaire offre de réaliser un mausolée funéraire. C'est l'époque des tombes romantiques très ornées, dont beaucoup sont encore en place dans les cimetières. Il en existait des recueils de modèles gravés, un par Quaglia, un autre par Jolimont (*les Mausolées français,* 1821). Charles Bovary, on s'en souvient, est allé, après la mort d'Emma, à Rouen chez « un entrepreneur de sépultures », et s'est décidé « pour un mausolée » qui devait porter sur ses deux faces principales « *un génie tenant une torche éteinte.* »

83. Macaire légataire universel...

L. Delteil 417, deuxième état sur trois. *Caricaturana,* 62. Déposé le 30 août 1837. Paru dans *le Charivari* du 17 septembre 1837.

84. Exploitation du suicide... [Robert Macaire menace sa tante de se suicider.]

L. Delteil 414. *Caricaturana,* 59. Déposé le 19 juillet 1837. Paru dans *le Charivari* du 24 juillet 1837.

85. Exploitation de l'amitié... [Robert Macaire invite des amis à déjeuner chez Alphonse.]

L. Delteil 413, deuxième état sur deux. *Caricaturana,* 58. Déposé le 29 juin 1837. Paru dans *le Charivari* du 17 juillet 1837.

86. La part du lion... [Robert Macaire gagne aux cartes.]

L. Delteil 376, deuxième état sur trois. *Caricaturana,* 22. Déposé le 26 décembre 1836. Paru dans *le Charivari* du 8 janvier 1837.

Une des meilleures et des moins connues des planches de la série.

Nous sommes au temps où la suppression des maisons de jeu publiques amène la création de tripots (voir Véron, *Mémoires d'un bourgeois de Paris,* I, 267).

87. La Cour ordonne que le cheval et le cabriolet de Robert Macaire seront vendus au profit du sieur Dindonneau...

L. Delteil 415, deuxième état sur trois (avant les retouches du fond). *Caricaturana,* 60. Déposé le 19 juillet 1837. Paru dans *le Charivari* des 30-31 juillet 1837.

88. — Messieurs, voici la vérité, je suis un petit voleur, mais Monsieur Macaire en est un grand...

L. Delteil 454. *Caricaturana,* 99. Déposé le 3 novembre 1838. Paru dans *le Charivari* du 18 novembre 1838.

89. Robert Macaire devant ses juges...

L. Delteil 384, premier état sur deux. *Caricaturana,* 30. Déposé le 18 février 1837. Paru dans *le Charivari* du 28 février 1837.

90. Robert Macaire avocat...

L. Delteil 399. *Caricaturana,* 44. Déposé le 15 avril 1837. Paru dans *le Charivari* du 23 août 1837.

91. [Robert Macaire professeur d'industrie.] — ... Vous achetez un produit...

L. Delteil 377, deuxième état sur trois. *Caricaturana,* 23. Déposé le 20 janvier 1837. Paru dans *le Charivari* du 29 janvier 1837.

Le texte du *Charivari* précise que Philipon pense ici à « feu la Société du Physionotype », une des grandes affaires lancées par Girardin : « C'était un instrument nouveau et fort ingénieux à l'aide duquel on prenait instantanément l'empreinte de votre visage, sans le barbouiller d'encre et sans le couvrir d'une couche épaisse de plâtre, c'était un progrès » (*Physiologie du Floueur,* p. 48). Le succès ne répondit pas aux promesses, « le fondateur mit la clé sous la porte », et « Monsieur Gogo », lorsque la Société fut en liquidation, ne reçut en échange de ses actions que celles de la Société Sanitaire qui « se chargeait d'assurer une longue vie à tous les souscripteurs », mais mourut au bout de trois mois, en octobre 1836.

92. Robert Macaire avocat...

L. Delteil 362, premier état sur trois. *Caricaturana,* 9. Déposé le 3 octobre 1836. Paru dans *le Charivari* du 25 octobre 1836.

93. — Un candidat. Que vous faut-il ? Un homme probe...

L. Delteil 403, deuxième état sur trois. *Caricaturana,* 48. Déposé le 2 mai 1837. Paru dans *le Charivari* du 18 mai 1837.

A rapprocher du « *Robert Macaire éligible* » dans *la Physiologie du Robert Macaire,* 1842, p. 64 et 65.

Peut-être à l'origine plaisanterie contre Girardin, dont l'élection de député avait risqué d'être invalidée par la Chambre en 1834 pour irrégularité et corruption.

94. La fortune fait oublier les amis...

L. Delteil 388, troisième état sur trois. *Caricaturana,* 31. Déposé le 21 février 1837. Paru dans *le Charivari* du 3 mars (ou 12) 1837.

95. — Que diable, Macaire, te voilà à la tête d'un bureau de charité... Ne donneras-tu rien à ton pauvre Bertrand ?...

L. Delteil 386, premier état sur deux. *Caricaturana,* 32. Déposé le 25 février 1837. Paru dans *le Charivari* du 5 mars 1837.

96. — Monsieur Bertrand, la confiance de mes concitoyens m'a placé à la tête de cette administration, et, je le dis à regret, quel que soit mon désir de vous être utile...

L. Delteil 434, deuxième état sur deux. *Caricaturana,* 79. Déposé le 11 avril 1838. Paru dans *le Charivari* du 22 avril 1838.

Dans *César Birotteau,* Molineux est « *honoré des suffrages de ses concitoyens.* »

97. — Diable ! Respectons les convenances ! Je ne puis pas accepter une invitation comme celle-là...

L. Delteil 388, troisième état sur trois. *Caricaturana,* 34. Déposé le 4 mars 1837. Paru dans *le Charivari* du 12 mars 1837.

98. Bertrand : « Dis donc, s'ils allaient nous faire un mauvais parti... » — Robert Macaire : « Heuh, hopp ! garrre, gare, gare... »

L. Delteil 445, deuxième état sur trois. *Caricaturana,* 90. Déposé le 28 août 1838. Paru dans *le Charivari* du 23 septembre 1838.

99. Triomphe de la probité...

L. Delteil 449, deuxième état sur deux. *Caricaturana,* 94. Déposé le 2 octobre 1838. Paru dans *le Charivari* du 18 octobre 1838.

100. À tous les cœurs bien nés, que la patrie est chère...

L. Delteil 441, premier état sur deux (très rare, avant la modification de la légende). *Caricaturana,* 92. Déposé le 25 septembre 1838. Paru dans *le Charivari* du 11 octobre 1838.

Comme Nucingen, Robert Macaire part pour Bruxelles, repaire des banquiers en difficulté; il cite un vers de Voltaire.

# TABLE DE CONCORDANCE

*M. Jean Adhémar ayant choisi de présenter les planches de la suite des* Robert Macaire *en sept séries correspondant à sept thèmes traités par Daumier, et non pas dans l'ordre de* Caricaturana, *nous croyons utile de rappeler ci-dessous la correspondance de ces deux classements :*

| CLASSEMENT CARICATURANA | CLASSEMENT J. ADHÉMAR | CLASSEMENT CARICATURANA | CLASSEMENT J. ADHÉMAR | CLASSEMENT CARICATURANA | CLASSEMENT J. ADHÉMAR |
|---|---|---|---|---|---|
| 1 | 2 | 35 | 9 | 69 | 61 |
| 2 | 6 | 36 | 76 | 70 | 69 |
| 3 | 36 | 37 | 11 | 71 | 58 |
| 4 | 50 | 38 | 10 | 72 | 53 |
| 5 | 35 | 39 | 22 | 73 | 30 |
| 6 | 27 | 40 | 78 | 74 | 75 |
| 7 | 5 | 41 | 70 | 75 | 67 |
| 8 | 66 | 42 | 55 | 76 | 18 |
| 9 | 92 | 43 | 82 | 77 | 71 |
| 10 | 34 | 44 | 90 | 78 | 1 |
| 11 | 37 | 45 | 73 | 79 | 96 |
| 12 | 54 | 46 | 52 | 80 | 29 |
| 13 | 32 | 47 | 20 | 81 | 7 |
| 14 | 24 | 48 | 93 | 82 | 25 |
| 15 | 51 | 49 | 57 | 83 | 41 |
| 16 | 80 | 50 | 12 | 84 | 48 |
| 17 | 3 | 51 | 26 | 85 | 39 |
| 18 | 21 | 52 | 23 | 86 | 42 |
| 19 | 4 | 53 | 62 | 87 | 16 |
| 20 | 38 | 54 | 14 | 88 | 68 |
| 21 | 8 | 55 | 63 | 89 | 59 |
| 22 | 86 | 56 | 40 | 90 | 98 |
| 23 | 91 | 57 | 64 | 91 | 43 |
| 24 | 31 | 58 | 85 | 92 | 60 |
| 25 | 13 | 59 | 84 | 93 | 49 |
| 26 | 74 | 60 | 87 | 94 | 99 |
| 27 | 47 | 61 | 77 | 95 | 44 |
| 28 | 15 | 62 | 83 | 96 | 100 |
| 29 | 19 | 63 | 65 | 97 | 72 |
| 30 | 89 | 64 | 17 | 98 | 33 |
| 31 | 94 | 65 | 79 | 99 | 88 |
| 32 | 95 | 66 | 46 | 100 | 81 |
| 33 | 45 | 67 | 56 | | |
| 34 | 97 | 68 | 28 | | |

CET OUVRAGE
RÉALISÉ PAR ANDRÉ SAURET A ÉTÉ ACHEVÉ D'IMPRIMER EN NOVEMBRE 1968. LE TEXTE A ÉTÉ COMPOSÉ EN GARAMOND ET TIRÉ SUR LES PRESSES DE L'IMPRIMERIE DARANTIERE À DIJON. LES LITHOGRAPHIES DE DAUMIER ONT ÉTÉ TIRÉES SUR LES PRESSES DE L'IMPRIMERIE MODERNE DU LION À PARIS